사고력을 키우는 팩토 연산

C02
두 자리 수의 곱셈

매스티안

구성과 특징

1주 연산 원리 학습

붙임 딱지 등의 활동으로
연산 원리를 재미있게 체득

2주 연산 응용 학습

연산 원리를 응용한 문제를
풀어 보며 문제해결력 신장

정답

아이와 자연스럽게 학습을 시작할 수
있도록 스토리텔링 방식 도입

아이들이 배우는 연산 원리에 대한
학습가이드 제시

연산 실력 체크 진단 ＋ 보충 온라인 보충 학습

2~4주차 사고력 연산을
학습하기 전에 연산 실력 체크

매스티안 홈페이지에서 제공하는
보충 학습으로 연산 원리 다지기

온라인 활동지

매스티안 홈페이지에서 제공하는
활동지로 사고력 연산 이해도 향상

4주 사고력 학습 2

연산 원리를 바탕으로 한 사고력 연산
문제를 풀어 보며 수학적 사고력과 창의력 향상

3주 사고력 학습 1

연산 원리를 바탕으로 한 사고력 연산
문제를 풀어 보며 수학적 사고력과 창의력 향상

· 3, 4주차 1일 학습 흐름 ·

난이도 下

→

난이도 中

→

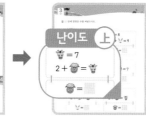

난이도 上

→

목표 문제

$4 + 2 =$

특정 주제를 쉬운 문제부터 목표 문제까지 차근차근
학습할 수 있도록 설계 되어 있어 자기주도학습 가능

☆ App Game 팩토 연산 SPEED UP

앱스토어에서 무료로 다운받은
팩토 연산 SPEED UP으로 덧셈, 뺄셈,
곱셈, 나눗셈의 연산 속도와 정확성 향상

☆ 부록 칭찬 붙임 딱지, 상장

학습 동기 부여를 위한
칭찬 붙임 딱지와 연산왕 상장

사고력을 키우는 **팩토 연산 시리즈**

P | 권장 학년 : 7세, 초1 |

권별	학습 주제	교과 연계
P01	10까지의 수	❶학년 **1**학기
P02	작은 수의 덧셈	❶학년 **1**학기
P03	작은 수의 뺄셈	❶학년 **1**학기
P04	작은 수의 덧셈과 뺄셈	❶학년 **1**학기
P05	50까지의 수	❶학년 **1**학기

A | 권장 학년 : 초1, 초2 |

권별	학습 주제	교과 연계
A01	100까지의 수	❶학년 **2**학기
A02	덧셈구구	❶학년 **2**학기
A03	뺄셈구구	❶학년 **2**학기
A04	(두 자리 수)+(한 자리 수)	❷학년 **1**학기
A05	(두 자리 수)−(한 자리 수)	❷학년 **1**학기

B | 권장 학년 : 초2, 초3 |

권별	학습 주제	교과 연계
B01	세 자리 수	❷학년 **1**학기
B02	(두 자리 수)+(두 자리 수)	❷학년 **1**학기
B03	(두 자리 수)−(두 자리 수)	❷학년 **1**학기
B04	곱셈구구	❷학년 **2**학기
B05	큰 수의 덧셈과 뺄셈	❸학년 **1**학기

C | 권장 학년 : 초3, 초4 |

권별	학습 주제	교과 연계
C01	나눗셈구구	❸학년 **1**학기
C02	두 자리 수의 곱셈	❸학년 **2**학기
C03	혼합 계산	❹학년 **1**학기
C04	큰 수의 곱셈과 나눗셈	❹학년 **1**학기
C05	분수·소수의 덧셈과 뺄셈	❹학년 **1**학기

C02 두 자리 수의 곱셈 목차

C02

두 자리 수의 곱셈

C02권에서는 큰 수의 곱셈 상황을 해결할 수 있는 기초 단계인 두 자리 수의 곱셈을 학습합니다. (두 자리 수)×(한 자리 수)의 계산에서 (두 자리 수)×(두 자리 수)의 계산으로, 올림이 없는 계산에서 올림이 1번, 2번, 3번 있는 계산으로 각각 나누어 지도함으로써 곱셈의 원리를 순차적으로 발견하도록 구성하였습니다. 이미 배운 곱셈의 원리인 묶어세기와 곱셈구구를 이용하여 두 자리 수의 계산을 능숙하게 할 수 있도록 연습합니다.

1일차 (몇십)×(몇)

$30×4=\boxed{120}$

올림이 1번 있는 (몇십)×(몇)을 학습합니다.

2일차 (몇십 몇)×(몇) 1

$32×4=\boxed{128}$

올림이 1번 있는 (몇십 몇)×(몇)을 학습합니다.

학습관리표

일 자			소요 시간	틀린 문항 수	확인
❶ 일차	월	일	:		
❷ 일차	월	일	:		
❸ 일차	월	일	:		
❹ 일차	월	일	:		
❺ 일차	월	일	:		

3일차	(몇십 몇)×(몇) 2
$36 \times 4 = \boxed{144}$	올림이 2번 있는 (몇십 몇)×(몇)을 학습합니다.

4일차	(몇십 몇)×(몇십)
$36 \times 40 = \boxed{1440}$	올림이 2번 있는 (몇십 몇)×(몇십)을 학습합니다.

5일차	(몇십 몇)×(몇십 몇)
$\begin{array}{r} 36 \\ \times\ 47 \\ \hline \boxed{1692} \end{array}$	올림이 3번 있는 (몇십 몇)×(몇십 몇)을 세로셈으로 학습합니다.

	연산 실력 체크
	1주차 학습에 이어 2, 3, 4주차 학습을 원활히 하기 위하여 연산 실력 체크를 합니다. 연습이 더 필요할 경우에는 매스티안 홈페이지의 보충 학습을 풀어 봅니다.

1 주

(몇십) x (몇)

🌷 동전을 붙이며 ▢ 안에 알맞은 수를 써넣어 곱셈을 하시오.

준비물 ▶ 붙임 딱지

$$40 \times 2 = \quad 40 \quad + \quad 40 \quad = \quad \boxed{}$$

$$20 \times 3 = \quad 20 \quad + \quad 20 \quad + \quad 20 \quad = \quad \boxed{}$$

$$50 \times 2 = \quad 50 \quad + \quad 50 \quad = \quad \boxed{}$$

$$60 \times 3 = \quad 60 \quad + \quad 60 \quad + \quad 60 \quad = \quad \boxed{}$$

♣ ☐ 안에 알맞은 수를 써넣어 곱셈을 하시오.

30 × 2 = ⬜30 + ⬜30 = ⬜

30 × 3 = ⬜ + ⬜ + ⬜ = ⬜

50 × 3 = ⬜ + ⬜ + ⬜ = ⬜

80 × 2 = ⬜ + ⬜ = ⬜

70 × 3 = ⬜ + ⬜ + ⬜ = ⬜

1 일차

$\mathbf{Q}$ 순서에 맞게 곱셈을 하시오.

$$30 \times 2 = \boxed{0} \quad \Rightarrow \quad 30 \times 2 = \boxed{6\,0}$$
$$3 \times 2$$

$$10 \times 3 = \boxed{0}$$
$$1 \times 3$$

$$20 \times 4 = \boxed{}$$
$$2 \times 4$$

$$20 \times 2 = \boxed{}$$

$$10 \times 7 = \boxed{}$$

$$10 \times 4 = \boxed{}$$

$$30 \times 3 = \boxed{}$$

$$40 \times 2 = \boxed{}$$

$$20 \times 3 = \boxed{}$$

1

C02

$30 \times 5 =$ ⬚ 0 ➡ $30 \times 5 =$ 1 5 0

3×5

$40 \times 3 =$ ⬚ 0

4×3

$60 \times 7 =$ ⬚

6×7

$30 \times 6 =$ ⬚

$70 \times 3 =$ ⬚

$50 \times 4 =$ ⬚

$80 \times 8 =$ ⬚

$60 \times 9 =$ ⬚

$90 \times 2 =$ ⬚

1
일차

🌱 곱셈을 하시오.

30 × 3 =

20 × 4 =

10 × 5 =

30 × 1 =

20 × 3 =

10 × 9 =

10 × 8 =

20 × 2 =

10 × 4 =

10 × 7 =

30 × 2 =

40 × 2 =

70 × 2 =

80 × 5 =

30 × 4 =

20 × 9 =

40 × 5 =

60 × 4 =

70 × 3 =

40 × 8 =

50 × 9 =

90 × 6 =

60 × 6 =

50 × 7 =

(몇십 몇) x (몇) 1

🌷 동전을 붙이며 ▓ 안에 알맞은 수를 써넣어 곱셈을 하시오.

① × 2 = ① + ① ➡ 2 / 6 0

31 × 2 = 31 + 31 = ▓ | ▓

① ① × 3 = ▓ + ▓ + ▓ ➡ ▓

42 × 3 = 42 + 42 + 42 = ▓ | ▓

① × 3 = ▓ + ▓ + ▓ ➡ ▓

61 × 3 = 61 + 61 + 61 = ▓ | ▓

🌼 　 안에 알맞은 수를 써넣어 곱셈을 하시오.

○ 보기 ○

$3 \times 2 = 6$

$40 \times 2 = 80$

$43 \times 2 = 86$

$4 \times 2 =$

$10 \times 2 =$

$14 \times 2 =$

$2 \times 3 =$

$30 \times 3 =$

$32 \times 3 =$

$2 \times 4 =$

$20 \times 4 =$

$22 \times 4 =$

$3 \times 3 =$

$50 \times 3 =$

$53 \times 3 =$

$1 \times 6 =$

$70 \times 6 =$

$71 \times 6 =$

순서에 맞게 곱셈을 하시오.

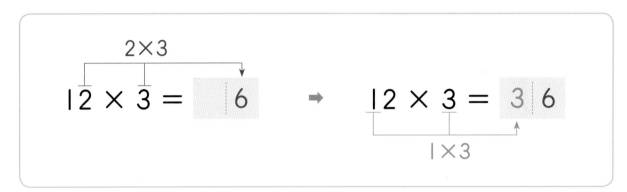

$$\overset{1 \times 2}{\underset{3 \times 2}{31 \times 2}} = \boxed{\quad 2}$$

$$\overset{3 \times 3}{\underset{2 \times 3}{23 \times 3}} = \boxed{\quad}$$

$$12 \times 4 = \boxed{\quad}$$

$$13 \times 2 = \boxed{\quad}$$

$$32 \times 3 = \boxed{\quad}$$

$$22 \times 3 = \boxed{\quad}$$

$$11 \times 5 = \boxed{\quad}$$

$$43 \times 2 = \boxed{\quad}$$

1×6

$21 \times 6 = \boxed{6} \quad \Rightarrow \quad 21 \times 6 = \boxed{1\ 2\ 6}$

2×6

4×2

$64 \times 2 = \boxed{8}$

6×2

3×3

$43 \times 3 = \boxed{}$

4×3

$81 \times 5 = \boxed{}$

$74 \times 2 = \boxed{}$

$32 \times 4 = \boxed{}$

$51 \times 5 = \boxed{}$

$84 \times 2 = \boxed{}$

$91 \times 9 = \boxed{}$

❖ 곱셈을 하시오.

34 × 2 =　　　　　　　　11 × 5 =

21 × 3 =　　　　　　　　33 × 3 =

11 × 8 =　　　　　　　　12 × 4 =

41 × 2 =　　　　　　　　23 × 3 =

21 × 3 =　　　　　　　　22 × 4 =

42 × 2 =　　　　　　　　13 × 3 =

73 × 2 =

51 × 6 =

53 × 3 =

42 × 3 =

21 × 5 =

62 × 4 =

84 × 2 =

91 × 7 =

31 × 9 =

72 × 3 =

92 × 4 =

81 × 6 =

오늘은 얼마나 잘했을까요?

칭찬 붙임 딱지를
붙여 주세요!

3
일차

(몇십 몇) x (몇) 2

❧ 동전을 붙이며 ▨ 안에 알맞은 수를 써넣어 곱셈을 하시오.

준비물 ▶ 붙임 딱지

× 3 =   +   +   ➡   15
                        120

45 × 3 =   45   +   45   +   45   =

× 2 =   +   ➡

65 × 2 =   65   +   65   =

× 3 =   +   +   ➡

56 × 3 =   56   +   56   +   56   =

🌼 ▨ 안에 알맞은 수를 써넣어 곱셈을 하시오.

○ 보기 ○

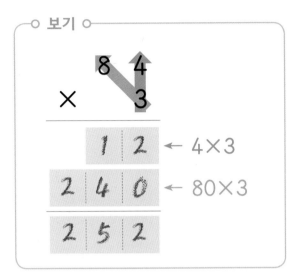

$$
\begin{array}{r}
8\ 4 \\
\times\ \ \ 3 \\
\hline
1\ 2 \\
2\ 4\ 0 \\
\hline
2\ 5\ 2
\end{array}
$$

1 2 ← 4×3
2 4 0 ← 80×3
2 5 2

$$
\begin{array}{r}
3\ 7 \\
\times\ \ \ 5 \\
\hline
\end{array}
$$

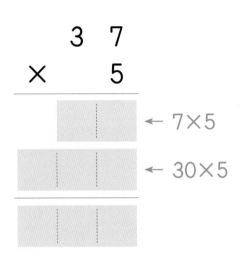

← 7×5
← 30×5

$$
\begin{array}{r}
5\ 4 \\
\times\ \ \ 9 \\
\hline
\end{array}
$$

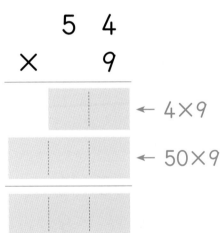

← 4×9
← 50×9

$$
\begin{array}{r}
6\ 8 \\
\times\ \ \ 2 \\
\hline
\end{array}
$$

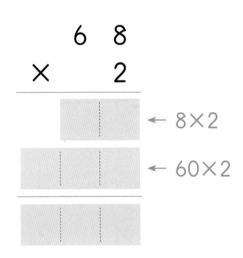

← 8×2
← 60×2

$$
\begin{array}{r}
4\ 9 \\
\times\ \ \ 6 \\
\hline
\end{array}
$$

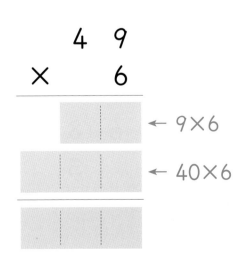

← 9×6
← 40×6

$$
\begin{array}{r}
7\ 6 \\
\times\ \ \ 4 \\
\hline
\end{array}
$$

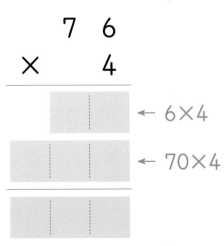

← 6×4
← 70×4

○ 순서에 맞게 곱셈을 하시오.

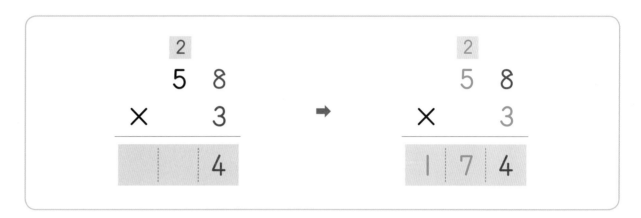

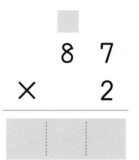

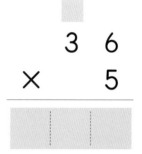

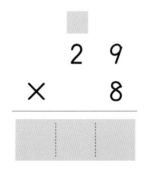

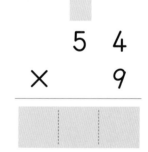

7×3

$47 \times 3 =$ [ ] [ ] 1   ➡ $47 \times 3 =$ 1 4 1

2   2

4×3

6×3

$56 \times 3 =$ [ ] [ ] 8

5×3   1

3×7

$23 \times 7 =$

2×7

$26 \times 6 =$

$64 \times 3 =$

$88 \times 2 =$

$52 \times 6 =$

$34 \times 9 =$

$29 \times 8 =$

❂ 곱셈을 하시오.

	6	7
×		2

	4	3
×		5

	3	6
×		8

	7	5
×		3

	9	4
×		4

	4	9
×		6

	9	3
×		9

	2	8
×		9

	8	6
×		7

76 × 2 =

42 × 5 =

53 × 6 =

62 × 7 =

1

C02

73 × 9 =

55 × 4 =

84 × 4 =

26 × 6 =

14 × 8 =

87 × 8 =

39 × 6 =

67 × 3 =

(몇십 몇) x (몇십)

🌷 수 모형을 붙이며 ▨ 안에 알맞은 수를 써넣어 곱셈을 하시오.

준비물 ▶ 붙임 딱지

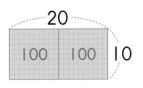

$$20 \times 10 = 2 \times 1 \times 100 = \boxed{}$$

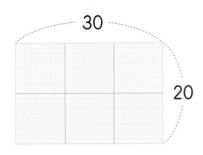

$$30 \times 20 = 3 \times 2 \times 100 = \boxed{}$$

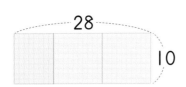

8	$\times 10 =$		8	0
20	$\times 10 =$	2	0	0

$$28 \times 10 = \boxed{}$$

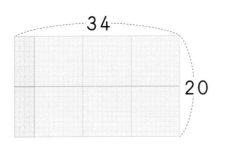

4	$\times 20 =$		8	0
30	$\times 20 =$	6	0	0

$$34 \times 20 = \boxed{}$$

☺ 　 안에 알맞은 수를 써넣어 곱셈을 하시오.

$20 \times 40 = 2 \times 4 \times 100 = $

$20 \times 60 = 2 \times 6 \times 100 = $

$1 \times 20 =$	$2\ 0$
$20 \times 20 =$	$4\ 0\ 0$

$21 \times 20 = $

$2 \times 30 =$	
$40 \times 30 =$	

$42 \times 30 = $

$5 \times 30 =$	
$20 \times 30 =$	

$25 \times 30 = $

$9 \times 70 =$	
$50 \times 70 =$	

$59 \times 70 = $

1
C02

● 순서에 맞게 곱셈을 하시오.

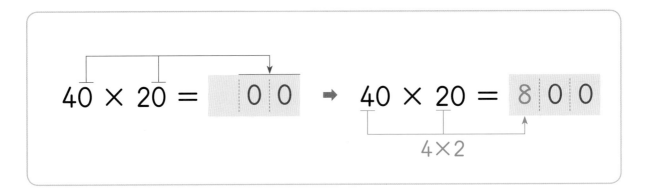

40 × 20 = ⬚ 0 0 ➡ 40 × 20 = 8 0 0
                              4×2

20 × 40 = 0 0
         2×4

30 × 50 =
         3×5

10 × 50 =

80 × 40 =

20 × 30 =

60 × 90 =

90 × 10 =

70 × 30 =

36 × 20 = ☐ ☐ 0   ➡   36 × 20 = 7 2 0

36×2

23 × 40 = ☐ ☐ 0

23 × 4

53 × 30 = ☐ ☐ ☐

53 × 3

13 × 30 = ☐ ☐ ☐

65 × 20 = ☐ ☐ ☐

22 × 40 = ☐ ☐ ☐

47 × 80 = ☐ ☐ ☐

49 × 20 = ☐ ☐ ☐

84 × 60 = ☐ ☐ ☐

🔎 곱셈을 하시오.

40 × 10 =

30 × 40 =

20 × 30 =

60 × 50 =

50 × 10 =

20 × 80 =

20 × 40 =

70 × 30 =

10 × 60 =

80 × 70 =

20 × 20 =

60 × 90 =

32 × 10 =   25 × 60 =

15 × 50 =   94 × 20 =

1

C02

23 × 40 =   36 × 70 =

66 × 10 =   82 × 50 =

37 × 20 =   48 × 70 =

12 × 70 =   89 × 80 =

(몇십 몇) × (몇십 몇)

🌷 수 모형을 붙이며 ▨ 안에 알맞은 수를 써넣어 곱셈을 하시오.

준비물 ▶ 붙임 딱지

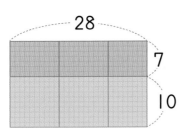

$$28 \times \boxed{7} = 1\,9\,6$$
$$28 \times \boxed{10} = 2\,8\,0$$

$$28 \times 17 =$$

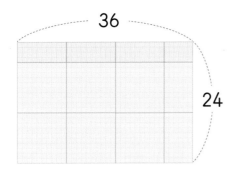

$$36 \times \boxed{4} =$$
$$36 \times \boxed{20} =$$

$$36 \times 24 =$$

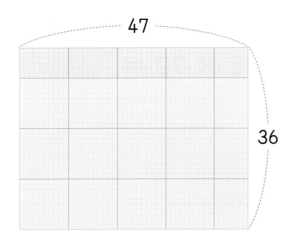

$$47 \times \boxed{6} =$$
$$47 \times \boxed{30} =$$

$$47 \times 36 =$$

🐣 █ 안에 알맞은 수를 써넣어 곱셈을 하시오.

○ 보기 ○
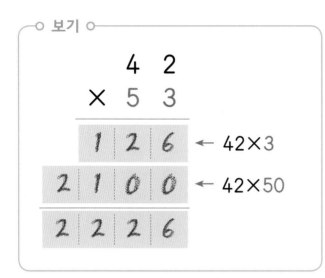

$$
\begin{array}{r}
4\ 2 \\
\times\ 5\ 3 \\
\hline
1\ 2\ 6 \quad \leftarrow 42 \times 3 \\
2\ 1\ 0\ 0 \quad \leftarrow 42 \times 50 \\
\hline
2\ 2\ 2\ 6
\end{array}
$$

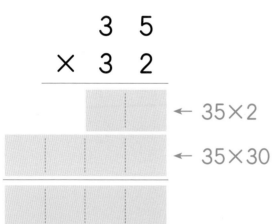

$$
\begin{array}{r}
3\ 5 \\
\times\ 3\ 2 \\
\hline
\end{array}
$$

← 35×2

← 35×30

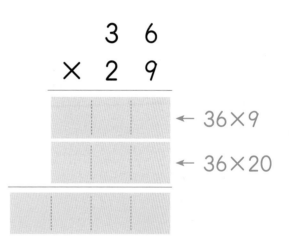

$$
\begin{array}{r}
2\ 3 \\
\times\ 1\ 4 \\
\hline
\end{array}
$$

← 23×4

← 23×10

$$
\begin{array}{r}
3\ 6 \\
\times\ 2\ 9 \\
\hline
\end{array}
$$

← 36×9

← 36×20

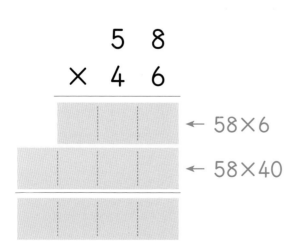

$$
\begin{array}{r}
5\ 8 \\
\times\ 4\ 6 \\
\hline
\end{array}
$$

← 58×6

← 58×40

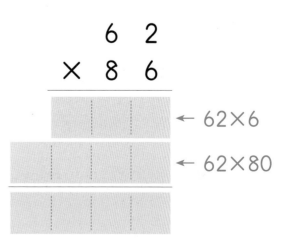

$$
\begin{array}{r}
6\ 2 \\
\times\ 8\ 6 \\
\hline
\end{array}
$$

← 62×6

← 62×80

1
C02

5 일차

오 순서에 맞게 곱셈을 하시오.

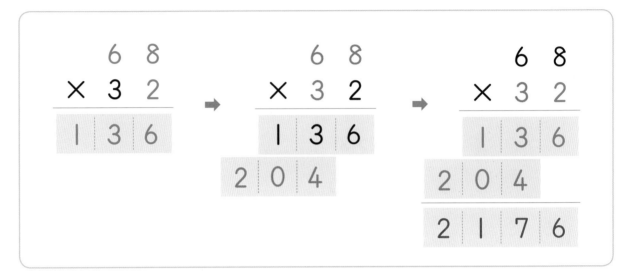

```
    6 8          6 8          6 8
 ×  3 2   →   ×  3 2   →   ×  3 2
 ─────         ─────         ─────
  1 3 6        1 3 6        1 3 6
               2 0 4        2 0 4
                            ─────
                           2 1 7 6
```

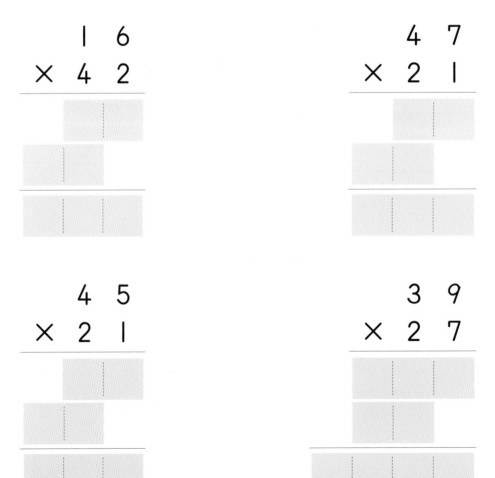

```
    1 6              4 7
 ×  4 2           ×  2 1
 ─────            ─────


```

```
    4 5              3 9
 ×  2 1           ×  2 7
 ─────            ─────


```

1
C02

```
      7 3
    × 9 3
```

```
      5 5
    × 6 6
```

```
      2 1
    × 8 5
```

```
      4 2
    × 5 6
```

```
      4 4
    × 7 7
```

```
      3 4
    × 6 8
```

✿ 곱셈을 하시오.

```
    2 3              1 7              2 9
  ×   1 3          ×   4 4          ×   2 5
  ─────────        ─────────        ─────────
```

```
    2 4              3 5              6 7
  ×   3 1          ×   2 3          ×   1 3
  ─────────        ─────────        ─────────
```

```
    8 0              6 3              7 2
  ×   3 4          ×   2 9          ×   5 6
  ─────────        ─────────        ─────────
```

```
    6 0            5 8            3 2
 ×  2 8         ×  6 4         ×  8 5
 ─────────      ─────────      ─────────
```

1
C02

```
    9 6            7 5            4 3
 ×  3 7         ×  9 3         ×  3 6
 ─────────      ─────────      ─────────
```

```
    2 7            9 2            4 6
 ×  4 9         ×  5 7         ×  8 9
 ─────────      ─────────      ─────────
```

연산 실력 체크

정답 수	/ 39개
날짜	월 일

🐤 2~4주 사고력 연산을 학습하기 전에 기본 연산 실력을 점검해 보세요.

1. $30 \times 2 =$

2. $20 \times 4 =$

3. $10 \times 7 =$

4. $80 \times 5 =$

5. $70 \times 9 =$

6. $60 \times 6 =$

7. $23 \times 3 =$

8. $44 \times 2 =$

9. $32 \times 3 =$

10. $61 \times 7 =$

11. $52 \times 4 =$

12. $71 \times 5 =$

13. $16 \times 4 =$

14. $12 \times 5 =$

15. $27 \times 6 =$

16. $43 \times 9 =$

17. $88 \times 3 =$

18. $79 \times 8 =$

19. $20 \times 40 =$

20. $30 \times 20 =$

21. $50 \times 60 =$

22. $41 \times 70 =$

23. $39 \times 30 =$

24. $86 \times 70 =$

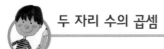

25.
```
   2 3
 ×   2
───────
```

26.
```
   1 4
 ×   6
───────
```

27.
```
   3 9
 ×   2
───────
```

28.
```
   9 4
 ×   3
───────
```

29.
```
   8 5
 ×   5
───────
```

30.
```
   4 9
 ×   8
───────
```

31.
```
   3 8
 ×   6
───────
```

32.
```
   4 3
 ×   7
───────
```

33.
```
   6 8
 ×   9
───────
```

34.
```
   2 3
 × 3 1
───────
```

35.
```
   4 8
 × 1 2
───────
```

36.
```
   7 2
 × 4 5
───────
```

37.

$$\begin{array}{r} 4\ 9 \\ \times\ 9\ 7 \\ \hline \end{array}$$

38.

$$\begin{array}{r} 8\ 2 \\ \times\ 7\ 6 \\ \hline \end{array}$$

39.

$$\begin{array}{r} 6\ 2 \\ \times\ 3\ 9 \\ \hline \end{array}$$

연산 실력 분석

오답 수에 맞게 학습을 진행하시기 바랍니다.

평가	오답 수	학습 방법
최고예요	0 ~ 2개	전반적으로 학습 내용에 대해 정확히 이해하고 있으며 매우 우수합니다. 기본 연산 문제를 자신 있게 풀 수 있는 실력을 갖추었으므로 이제는 사고력을 향상시킬 차례입니다. 2주차부터 차근차근 학습을 진행해 보세요. 학습 [2주차] → [3주차] → [4주차]
잘했어요	3 ~ 4개	기본 연산 문제를 전반적으로 잘 이해하고 풀었지만 약간의 실수가 있는 것 같습니다. 틀린 문제를 다시 한 번 풀어 보고, 문제를 차근차근 푸는 습관을 갖도록 노력해 보세요. 매스티안 홈페이지에서 제공하는 보충 학습으로 연산 실력을 향상시킨 후 2, 3, 4주차 학습을 진행해 주세요. 학습 [틀린 문제 복습] → [보충 학습] → [2주차] → …
노력해요	5개 이상	개념을 정확하게 이해하고 있지 않아 연산을 하는데 어려움이 있습니다. 개념을 이해하고 연산 문제를 반복해서 연습해 보세요. 매스티안 홈페이지에서 제공하는 보충 학습이 연산 실력을 향상시키는데 도움이 될 것입니다. 여러분도 곧 연산왕이 될 수 있습니다. 조금만 힘을 내 주세요. 학습 [1주차 원리 중심 복습] → [보충 학습] → [2주차] → …

매스티안 홈페이지 : www.mathtian.com

학습관리표

일 자			소요 시간	틀린 문항 수	확인
❶ 일차	월	일	:		
❷ 일차	월	일	:		
❸ 일차	월	일	:		
❹ 일차	월	일	:		
❺ 일차	월	일	:		

2주

1 일차

길이 셈

🌷 물건들의 길이를 구하여 🔲 안에 써넣으시오.

$15 \times 4 =$ 🔲

$18 \times 5 =$ 🔲

$31 \times 2 =$ 🔲

$22 \times 4 =$ 🔲

$19 \times 2 =$ 🔲

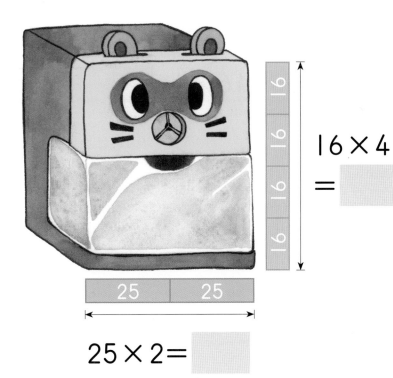

16×4

$=$

$25 \times 2 =$

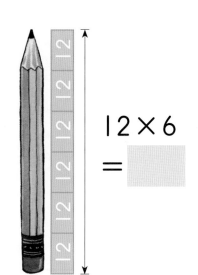

12×6

$=$

2

C02

$21 \times 4 =$

12×5

$=$

😊 물건들의 길이를 구하여 　 안에 써넣으시오.

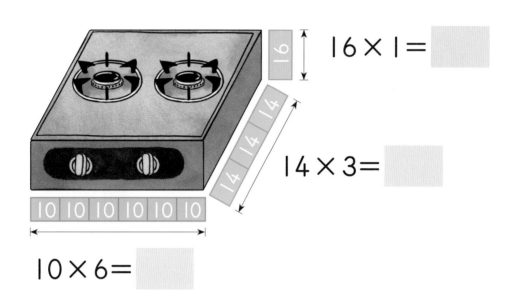

$16 \times 1 =$

$14 \times 3 =$

$10 \times 6 =$

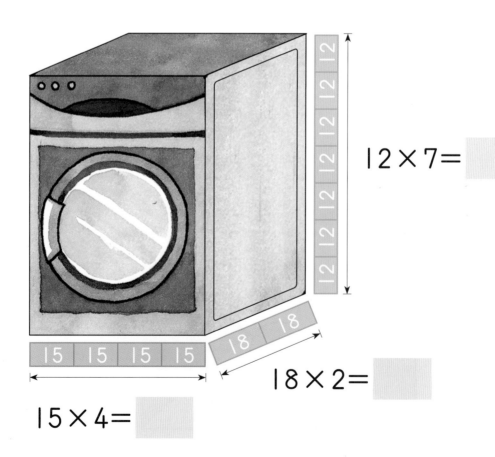

$12 \times 7 =$

$18 \times 2 =$

$15 \times 4 =$

🌱 계산한 값을 표에서 찾아 색칠하여 슬기가 사야 할 과일을 찾아보시오.

$$\begin{array}{r} 1\ 5 \\ \times\quad 4 \\ \hline 6\ 0 \end{array}$$

$$\begin{array}{r} 2\ 1 \\ \times\quad 8 \\ \hline \end{array}$$

$$\begin{array}{r} 7\ 3 \\ \times\quad 2 \\ \hline \end{array}$$

$$\begin{array}{r} 3\ 3 \\ \times\ 1\ 3 \\ \hline \end{array}$$

$$\begin{array}{r} 6\ 4 \\ \times\quad 4 \\ \hline \end{array}$$

$$\begin{array}{r} 4\ 8 \\ \times\quad 4 \\ \hline \end{array}$$

$$\begin{array}{r} 8\ 1 \\ \times\quad 4 \\ \hline \end{array}$$

$$\begin{array}{r} 9\ 2 \\ \times\quad 2 \\ \hline \end{array}$$

$$\begin{array}{r} 2\ 7 \\ \times\quad 5 \\ \hline \end{array}$$

$$\begin{array}{r} 4\ 2 \\ \times\ 2\ 7 \\ \hline \end{array}$$

$$\begin{array}{r} 3\ 4 \\ \times\ 2\ 2 \\ \hline \end{array}$$

376	514	296	184	265
256	168	93	146	429
284	192	156	748	87
1059	672	197	251	1104
240	108	60	135	613
965	357	1134	324	190

2
C02

2 일차

블록 셈

🌷 블록의 개수를 세어 ▨ 안에 알맞은 수를 써넣으시오.

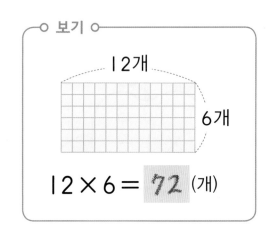

○ 보기 ○

12개

6개

$12 \times 6 = 72$ (개)

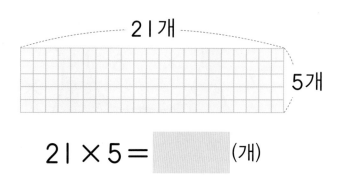

21개

5개

$21 \times 5 = $ ▨ (개)

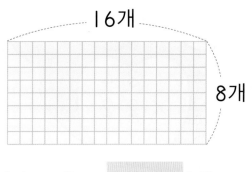

16개

8개

$16 \times 8 = $ ▨ (개)

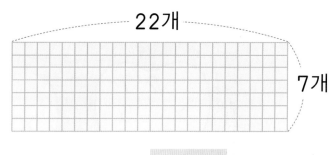

22개

7개

$22 \times 7 = $ ▨ (개)

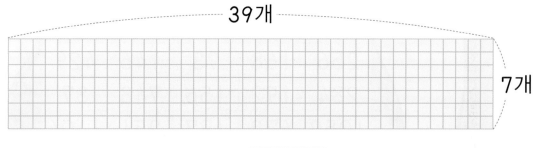

39개

7개

$39 \times 7 = $ ▨ (개)

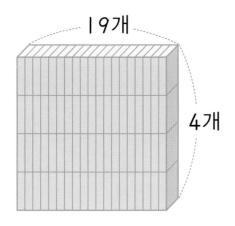

19개

4개

$19 \times 4 =$ [ ] (개)

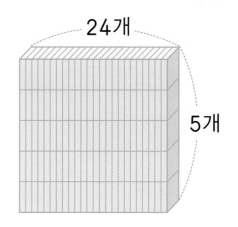

24개

5개

$24 \times 5 =$ [ ] (개)

2
C02

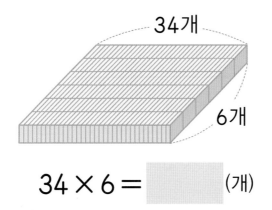

34개

6개

$34 \times 6 =$ [ ] (개)

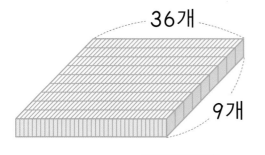

36개

9개

$36 \times 9 =$ [ ] (개)

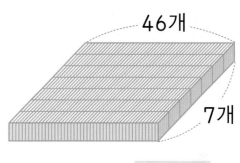

46개

7개

$46 \times 7 =$ [ ] (개)

2
일차

블록의 개수를 세어 █ 안에 알맞은 수를 써넣으시오.

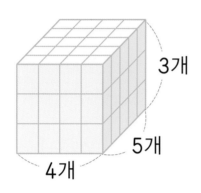

3개
5개
4개

$4 \times 5 \times 3 =$ ██ (개)

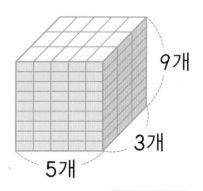

9개
3개
5개

$5 \times 3 \times 9 =$ ██ (개)

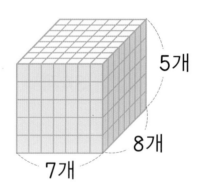

5개
8개
7개

$7 \times 8 \times 5 =$ ██ (개)

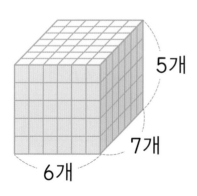

5개
7개
6개

$6 \times 7 \times 5 =$ ██ (개)

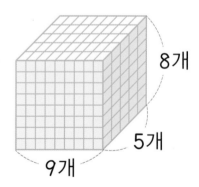

8개
5개
9개

$9 \times 5 \times 8 =$ ██ (개)

올바른 계산 값을 따라 미로를 빠져나가 만나게 되는 친구를 찾아 ◯표 하시오.

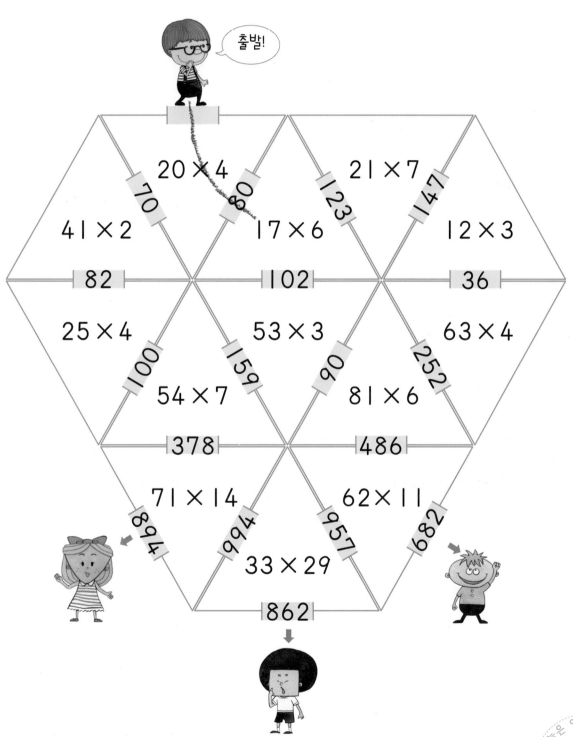

출발!

20 × 4
70
80
21 × 7
147
123
41 × 2
17 × 6
12 × 3
82
102
36
25 × 4
53 × 3
63 × 4
100
159
90
252
54 × 7
81 × 6
378
486
71 × 14
62 × 11
894
994
957
682
33 × 29
862

2
C02

3 일차 측정 셈

🌷 ▨ 안에 알맞은 수를 써넣으시오.

보기
45
15×3

13×6

21×4

🔵 ⬜ 안에 알맞은 수를 써넣으시오.

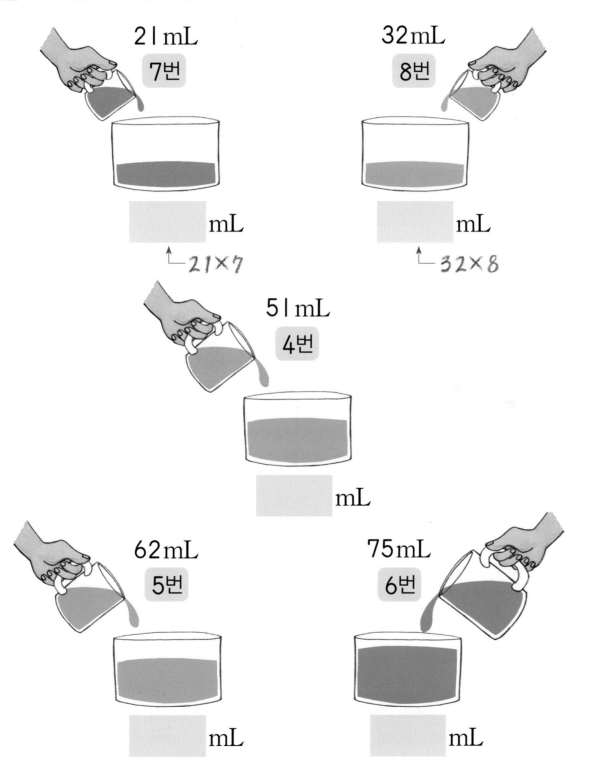

21 mL
7번

⬜ mL

↑ 21×7

32 mL
8번

⬜ mL

↑ 32×8

51 mL
4번

⬜ mL

62 mL
5번

⬜ mL

75 mL
6번

⬜ mL

2

C02

🌸 ▨ 안에 알맞은 수를 써넣으시오.

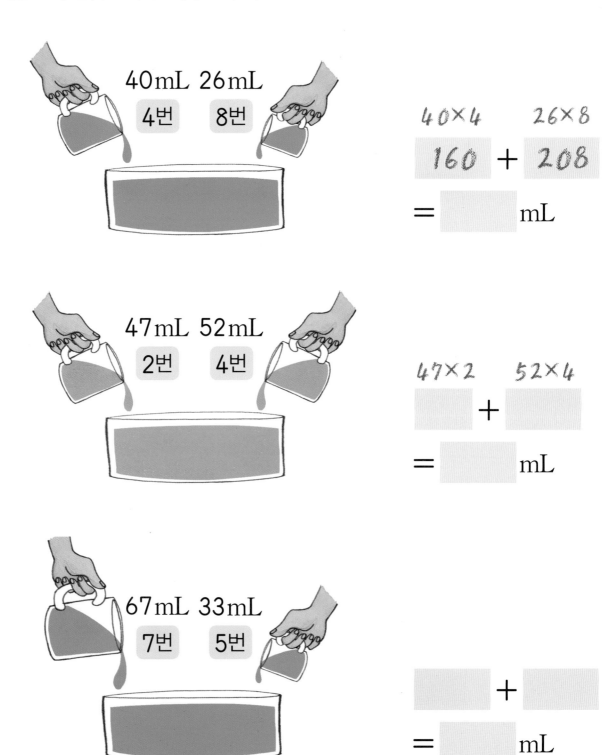

40mL 26mL

4번　8번

40×4　26×8

160 + 208

= ▨ mL

47mL 52mL

2번　4번

47×2　52×4

▨ + ▨

= ▨ mL

67mL 33mL

7번　5번

▨ + ▨

= ▨ mL

🌷 계산 결과가 같은 칸을 찾아 해당 글자를 써넣어 수수께끼를 해결해 보시오.

수		을		히	

수
```
   3 0
 ×   2
   6 0
```

을
```
   9 1
 × 1 5
```

히
```
   6 7
 ×   6
```

?
```
   3 7
 × 4 7
```

학
```
   5 4
 ×   7
```

면
```
   4 3
 × 7 2
```

익
```
   7 3
 ×   3
```

책
```
   9 3
 × 5 4
```

2
C02

 수수께끼

60	378	5022	1365		219	402	3096	1739
수								

답 ➡

규칙 셈

4 일차

🌷 규칙을 찾아 ▨ 안에 알맞은 수를 써넣으시오.

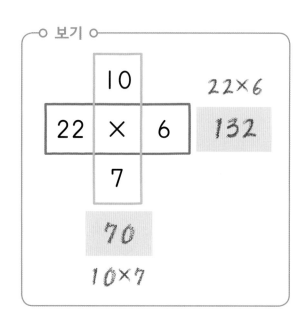

○ 보기 ○

```
        10
  22  ×   6      22×6
                 132
        7
```
          70
        10×7

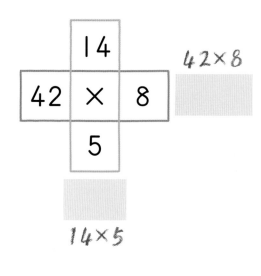

```
        14
  42  ×   8      42×8

        5
```
        14×5

```
        37
  61  ×   3

        4
```

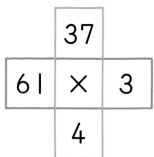

```
        82
  70  ×  36

        19
```

```
        91
  65  ×  28

        13
```

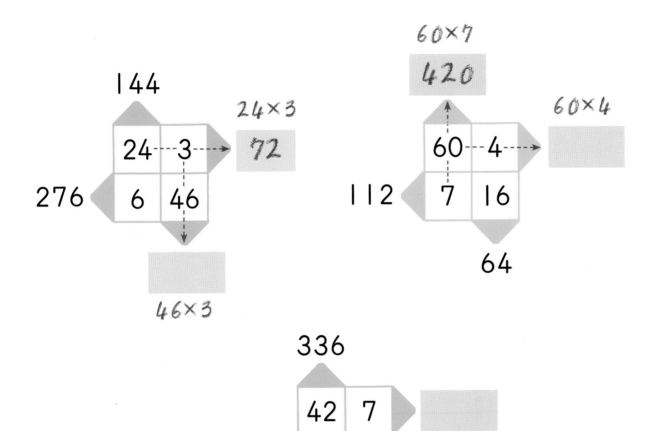

4 일차

🔱 규칙을 찾아 ▨ 안에 알맞은 수를 써넣으시오.

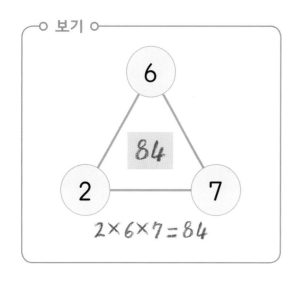

보기

$2 \times 6 \times 7 = 84$

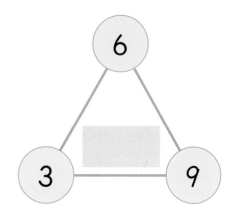

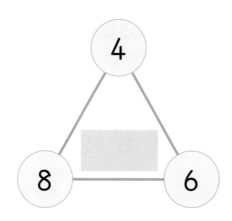

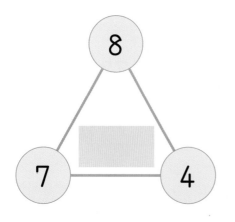

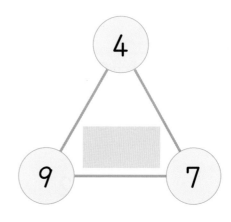

곱셈 결과와 같은 칸을 찾아 해당하는 글자를 써넣으시오.

$$\begin{array}{r} 1\ 4 \\ \times\quad 2 \\ \hline 2\ 8 \end{array}$$

맛

$$\begin{array}{r} 8\ 3 \\ \times\quad 5 \\ \hline \end{array}$$

과

$$\begin{array}{r} 6\ 4 \\ \times\ 3\ 2 \\ \hline \end{array}$$

바

$$\begin{array}{r} 6\ 2 \\ \times\quad 6 \\ \hline \end{array}$$

는

$$\begin{array}{r} 5\ 2 \\ \times\ 2\ 3 \\ \hline \end{array}$$

나

$$\begin{array}{r} 8\ 0 \\ \times\ 1\ 7 \\ \hline \end{array}$$

일

$$\begin{array}{r} 3\ 4 \\ \times\quad 4 \\ \hline \end{array}$$

있

$$\begin{array}{r} 7\ 2 \\ \times\ 5\ 2 \\ \hline \end{array}$$

나

28	136	372	415	1360	2048	1196	3744
맛							

!

🌷 구슬의 개수를 세어 🔲 안에 알맞은 수를 써넣으시오.

⬛ + ⬛ = ⬛ (개)

7×7 6×5

⬛ + ⬛ = ⬛ (개)

10×6 5×4

⬛ + ⬛ = ⬛ (개)

2
C02

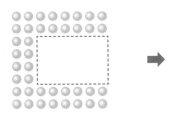

8×8 6×4

(개)

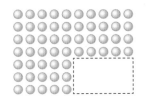

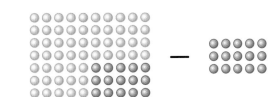

10×7 5×3

(개)

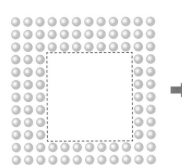

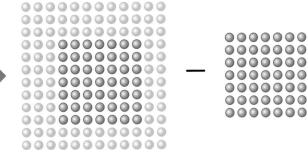

(개)

5
일차

안에 알맞은 수를 써넣어 구슬의 개수를 구하시오.

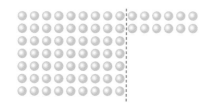

63 $+$ ☐ $=$ ☐

9×7 6×2

☐ $-$ ☐ $=$ ☐

17×6 8×2

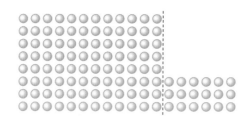

☐ $+$ ☐ $=$ ☐

☐ $+$ ☐ $=$ ☐

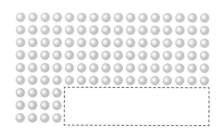

☐ $-$ ☐ $=$ ☐

🌸 주어진 가로·세로 열쇠를 보고 퍼즐을 완성하시오.

		㉠			㉡		
				②			
① 1	9	6					
				③			㉢
	㉢		㉤				
	④				⑤		

2

C02

가로 열쇠

① 28×7
  =196

② 90×3

③ 32×2

④ 96×6

⑤ 86×7

세로 열쇠

㉠ 7 6
  × 1 8

㉡ 8 1
  × 3 4

㉢ 4 5
  × 2 1

㉣ 6 1
  × 5 2

㉤ 6 3
  × 3 6

학습관리표

일 자			소요 시간	틀린 문항 수	확인
❶ 일차	월	일	:		
❷ 일차	월	일	:		
❸ 일차	월	일	:		
❹ 일차	월	일	:		
❺ 일차	월	일	:		

3 주

기묘한 계산

🌷 규칙을 찾아 곱셈을 하시오.

십합일동 (十合一同)

※ 십합일동 : 십의 자리 숫자의 합이 10이고, 일의 자리 숫자가 같은 두 자리 수의 곱셈

$$
\begin{array}{r}
3\ 4 \\
\times\ 7\ 4 \\
\hline
\end{array}
\Rightarrow
\begin{array}{r}
3\ 4 \\
\times\ 7\ 4 \\
\hline
1\ 6 \\
\end{array}
\Rightarrow
\begin{array}{r}
3\ 4 \\
\times\ 7\ 4 \\
\hline
2\ 5\ 1\ 6 \\
\end{array}
$$

$\rightarrow 4\times4$ $\rightarrow (3\times7)+4$

$$
\begin{array}{r}
4\ 3 \\
\times\ 6\ 3 \\
\hline
0\ 9 \\
\end{array}
\qquad
\begin{array}{r}
3\ 8 \\
\times\ 7\ 8 \\
\hline
\end{array}
\qquad
\begin{array}{r}
5\ 2 \\
\times\ 5\ 2 \\
\hline
\end{array}
$$

$(4\times6)+3$ 3×3 $(3\times7)+8$ 8×8

$$
\begin{array}{r}
8\ 6 \\
\times\ 2\ 6 \\
\hline
\end{array}
\qquad
\begin{array}{r}
6\ 9 \\
\times\ 4\ 9 \\
\hline
\end{array}
\qquad
\begin{array}{r}
9\ 7 \\
\times\ 1\ 7 \\
\hline
\end{array}
$$

일합십동 (一合十同)

※ 일합십동 : 일의 자리 숫자의 합이 10이고, 십의 자리 숫자가 같은 두 자리 수의 곱셈

$$
\begin{array}{r}
3 \ 8 \\
\times \ 3 \ 2 \\
\hline
\end{array}
\Rightarrow
\begin{array}{r}
3 \ 8 \\
\times \ 3 \ 2 \\
\hline
1 \ 6 \\
\end{array}
\Rightarrow
\begin{array}{r}
3 \ 8 \\
\times \ 3 \ 2 \\
\hline
1 \ 2 \ 1 \ 6 \\
\end{array}
$$

↳ 8×2　　　↳ (3+1)×3

$$
\begin{array}{r}
6 \ 5 \\
\times \ 6 \ 5 \\
\hline
 \ 2 \ 5 \\
\end{array}
\qquad
\begin{array}{r}
3 \ 9 \\
\times \ 3 \ 1 \\
\hline
\end{array}
\qquad
\begin{array}{r}
7 \ 8 \\
\times \ 7 \ 2 \\
\hline
\end{array}
$$

(6+1)×6　5×5　　　(3+1)×3　9×1

$$
\begin{array}{r}
5 \ 1 \\
\times \ 5 \ 9 \\
\hline
\end{array}
\qquad
\begin{array}{r}
4 \ 3 \\
\times \ 4 \ 7 \\
\hline
\end{array}
\qquad
\begin{array}{r}
8 \ 4 \\
\times \ 8 \ 6 \\
\hline
\end{array}
$$

3

C02

👤 규칙을 찾아 곱셈을 하시오.

곱하기 **11**

$$
\begin{array}{r}
7\ 4 \\
\times\ 1\ 1 \\
\hline
4 \\
\end{array}
$$
↳ 4×1

→

$$
\begin{array}{r}
7\ 4 \\
\times\ 1\ 1 \\
\hline
1\ 1\ 4 \\
\end{array}
$$
↳ 7+4

→

$$
\begin{array}{r}
7\ 4 \\
\times\ 1\ 1 \\
\hline
1\ 1\ 4 \\
\end{array}
$$
7 → 7×1

$$
8\ 1\ 4
$$

$$
\begin{array}{r}
2\ 4 \\
\times\ 1\ 1 \\
\hline
6\ 4 \\
\end{array}
$$
← 2×1

$$
\begin{array}{r}
4\ 5 \\
\times\ 1\ 1 \\
\hline
\end{array}
$$

$$
\begin{array}{r}
5\ 6 \\
\times\ 1\ 1 \\
\hline
\end{array}
$$

$$
\begin{array}{r}
6\ 3 \\
\times\ 1\ 1 \\
\hline
\end{array}
$$

$$
\begin{array}{r}
8\ 5 \\
\times\ 1\ 1 \\
\hline
\end{array}
$$

$$
\begin{array}{r}
7\ 9 \\
\times\ 1\ 1 \\
\hline
\end{array}
$$

(몇십 1)×(몇십 1)

```
    4 | 1          4 | 1          4 | 1
  × 7 | 1   →    × 7 | 1   →    × 7 | 1
 ─────────      ─────────      ─────────
      | 1          | 1 | 1        | 1 | 1
      └→1×1        └→4+7      2   8 →4×7
                            ─────────────
                             2  9 | 1 | 1
```

3

C02

```
    2 | 1          5 | 1          6 | 1
  × 7 | 1        × 3 | 1        × 9 | 1
 ─────────      ─────────      ─────────
    9 | 1
  ─────── ←2×7
 ─────────
```

```
    4 | 1          7 | 1          8 | 1
  × 6 | 1        × 8 | 1        × 9 | 1
 ─────────      ─────────      ─────────
```

문살과 네이피어 곱셈

🌷 문살 곱셈을 하여 ░ 안에 알맞은 수를 써넣으시오.

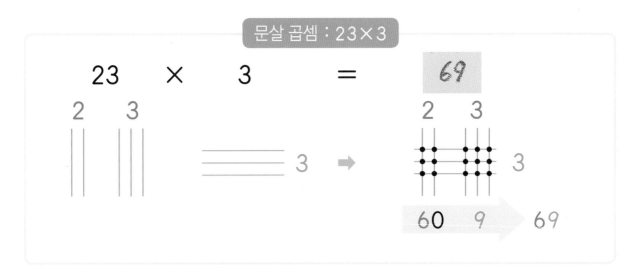

문살 곱셈 : 23 × 3

23 × 3 = 69

2 3

3

2 3

3

60 9 → 69

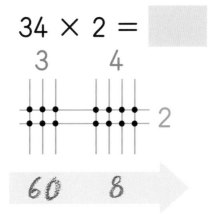

34 × 2 =

3 4

2

60 8

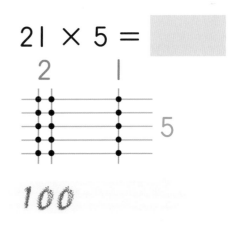

21 × 5 =

2 1

5

100

42 × 3 =

4 2

$12 \times 23 =$ 276

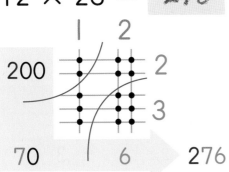

200
70   6   276

$14 \times 13 =$

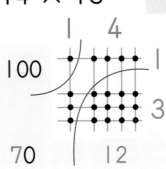

100
70   12

$31 \times 24 =$

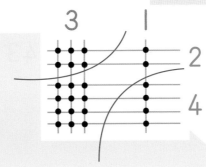

3

C02

$53 \times 12 =$

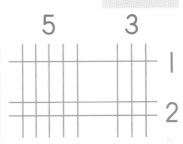

$41 \times 32 =$

사고력을 키우는 팩토 연산 · 71

♣ 네이피어 곱셈을 하여 ▨ 안에 알맞은 수를 써넣으시오.

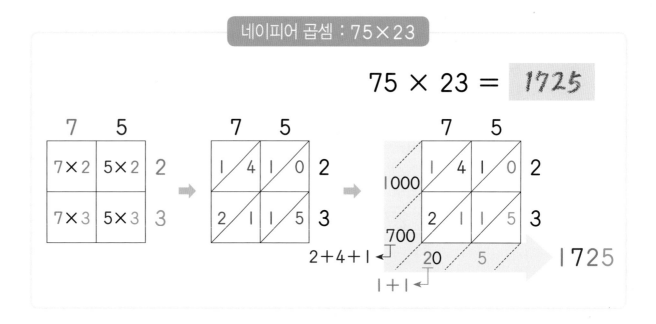

네이피어 곱셈 : 75×23

$75 \times 23 = $ 1725

35 × 7 = ▨

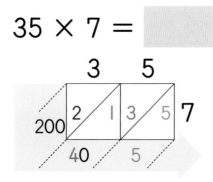

43 × 4 = ▨

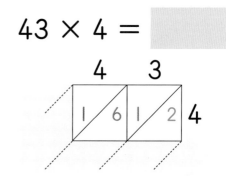

56 × 7 = ▨

24 × 38 =

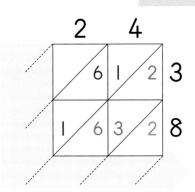

27 × 62 =

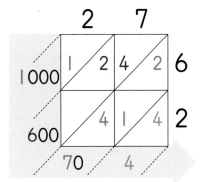

57 × 28 =

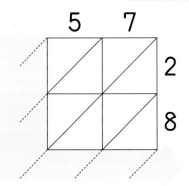

33 × 52 =

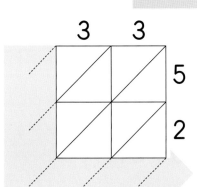

64 × 43 =

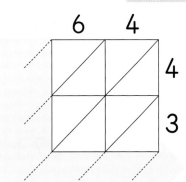

3

C02

3 연속수의 합
일차

🌷 ☐ 안에 알맞은 수를 써넣으시오.

○ 보기 ○

$$4+5+6+7+8+9+10+11 = \boxed{15} \times \boxed{4} = \boxed{60}$$

$$8+9+10+11+12+13 = \boxed{21} \times \boxed{3} = \boxed{}$$

$$3+5+7+9+11+13+15+17 = \boxed{}$$

$$16+17+18+19+20+21 = \boxed{} \times \boxed{} = \boxed{}$$

$$24+25+26+27+28+29+30+31 = \boxed{}$$

$$1+2+3+4+5+6+7+8+9 = \boxed{10} \times \boxed{4} + \boxed{5}$$

$$= \boxed{}$$

$$14+15+16+17+18+19+20 = \boxed{} \times \boxed{} + \boxed{14}$$

$$= \boxed{}$$

$$30+31+32+33+34+35+36+37+38 = \boxed{}$$

🌼 주어진 수의 합을 구하시오.

2	3	4
9	10	11
16	17	18

➡️

2	3	4
9	10	11
16	17	18

➡️

10	10	10
10	10	10
10	10	10

$10 \times 9 = 90$

4	5	6
11	12	13
18	19	20

➡️

4	5	6
11	12	13
18	19	20

➡️

12	12	12
12	12	12
12	12	12

12 ✕ ☐ = ☐

9	10	11
16	17	18
23	24	25

☐ ✕ ☐ = ☐

13	14	15
20	21	22
27	28	29

☐ ✕ ☐ = ☐

주어진 수의 합을 구하시오.

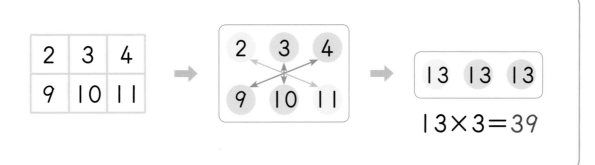

$13 \times 3 = 39$

5	6
12	13
19	20

→

5 6
12 13
19 20

→

25
25
25

25 × ☐ = ☐

20	21	22
27	28	29

☐ × ☐ = ☐

```
      5
11 12 13
      19
```

12 × ☐ = ☐

곱셈식 만들기

🌷 주어진 숫자 카드를 사용하여 곱셈식을 완성하시오.

🖨 **온라인 활동지**

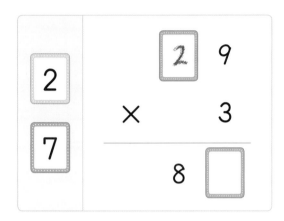

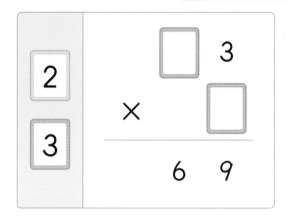

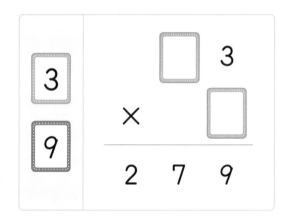

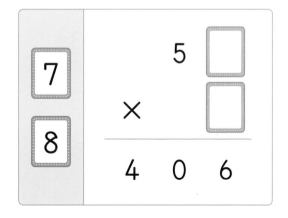

공부한 날   월   일

1	2	4

```
      3 □
  ×   1 8
  -------
    2 7 2
    3 4 0
  -------
    6 □ 2
```

2	5	6

```
      5 3
  ×   1 □
  -------
    1 0 6
    □ 3 0
  -------
    □ 3 6
```

```
        3 □
  ×     □ 4
  ---------
      1 □ 2
    2 6 6 0
  ---------
    2 8 □ 2
```

4	5	6	8

```
        □ 8
  ×     3 □
  ---------
      3 □ 8
    1 7 4 0
  ---------
    2 0 □ 8
```

 주어진 숫자 카드를 사용하여 곱셈식을 완성하시오.

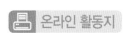 온라인 활동지

1	3	4

$1\ 3 \times \boxed{} = 52$

2	3	7

$\boxed{}\ 7 \times \boxed{2} = 74$

1	6	7

$\boxed{}\boxed{} \times \boxed{6} = 426$

3	5	8

$\boxed{}\boxed{} \times \boxed{} = 174$

3	4	6

$\boxed{}\boxed{} \times \boxed{} = 204$

5	7	9

$\boxed{}\boxed{} \times \boxed{} = 395$

$$23 \times \boxed{} = 161$$

$$\boxed{}1 \times 9 = 549$$

$$3\boxed{} \times \boxed{} = 280$$

$$\boxed{}3 \times 69 = 2967$$

$$86 \times \boxed{} = 86$$

$$72 \times \boxed{} = 216$$

$$\boxed{}\boxed{} \times 30 = 720$$

$$\boxed{}4 \times \boxed{} = 504$$

5
일차

마방진

🌷 가로, 세로 세 수의 곱이 ⬤ 안의 수가 되도록 ▨ 안에 알맞은 수를 써넣으시오.

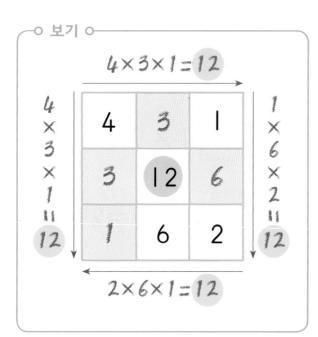

보기

```
      4×3×1=12
4   | 4 | 3 | 1 |   1
×   |---|---|---|   ×
3   | 3 |12 | 6 |   6
×   |---|---|---|   ×
1   | 1 | 6 | 2 |   2
=   |---|---|---|   =
12    2×6×1=12     12
```

```
      2×9×1=18
2   | 2 | 9 | 1 |
×   |---|---|---|
3   | 3 |18 |   |
×   |---|---|---|
3   | 3 |   | 3 |
=
18
```

2·4·6·8·10·12·14·16

```
| 8 | 1 |   |
|---|---|---|
|   |32 | 2 |
|---|---|---|
| 1 |   |   |
```

```
| 4 |   | 9 |
|---|---|---|
|   |36 | 2 |
|---|---|---|
| 3 |   |   |
```

8		3
1	48	
		4

6		9
	54	
3		3

		4
2	64	4
	2	

		9
6	72	
3		8

세 수의 곱이 모두 같아지도록 주어진 수를 ◯ 안에 알맞게 써넣으시오.

── 보기 ──

2, 4, 8

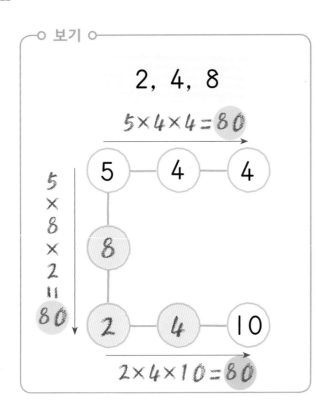

$5 \times 4 \times 4 = 80$

$5 \times 8 \times 2 = 80$

$2 \times 4 \times 10 = 80$

2, 3, 8

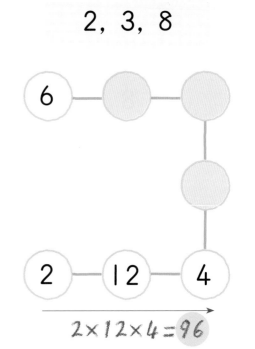

$2 \times 12 \times 4 = 96$

2, 4, 6

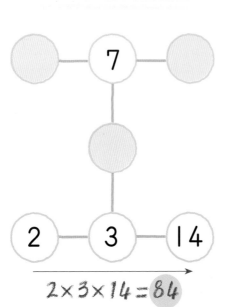

$2 \times 3 \times 14 = 84$

2, 3, 18

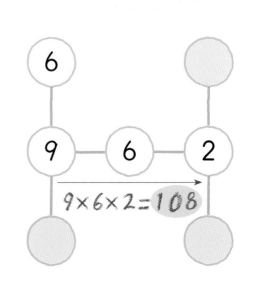

$9 \times 6 \times 2 = 108$

2, 2, 8, 12
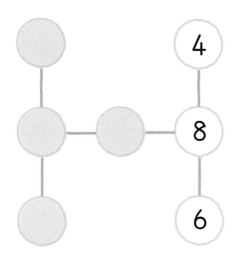

4, 6, 7, 21
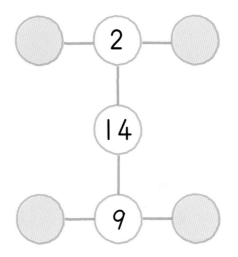

4, 8, 16, 20
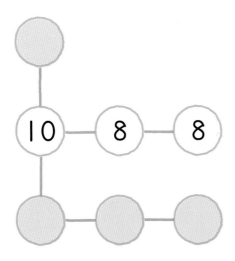

4, 6, 14, 15
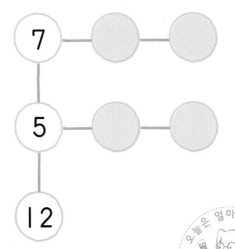

3

C02

학습관리표

일 자			소요 시간	틀린 문항 수	확인
❶ 일차	월	일	:		
❷ 일차	월	일	:		
❸ 일차	월	일	:		
❹ 일차	월	일	:		
❺ 일차	월	일	:		

4 주

고대의 곱셈

🌷 규칙을 찾아 곱셈을 하시오.

고대 이집트 곱셈

$$35 \times 19 \Rightarrow 35 \times 19 \Rightarrow 35 \times 19 = 665$$

×2 ⟨	35	1 ⟩ ×2		35	1 ✓		35	1 ✓
	70	2		70	2 ✓		70	2 ✓
	140	4		140	4		140	4
	280	8		280	8		280	8
	560	16		560	16 ✓		560	16 ✓
	⋮	⋮		⋮	⋮		⋮	⋮

$$1+2+16=19 \qquad 35+70+560=665$$

35 아래에는 35를, 19 아래에는 1을 쓰고, 2씩 곱한 수를 차례로 씁니다.

오른쪽 수 중 더해서 19가 되는 수의 옆에 ✓표를 합니다.

✓표 한 줄의 왼쪽 수를 모두 더합니다.

$$25 \times 17 = \boxed{}$$

25	1 ✓
50	2
100	4
200	8
400	16 ✓

$$32 \times 24 = \boxed{}$$

32	1
64	2
128	4
256	8 ✓
512	16 ✓

$$\boxed{25} + \boxed{400} = \boxed{} \qquad \boxed{} + \boxed{} = \boxed{}$$

$36 \times 15 =$

36	1 ✓
72	2 ✓
144	4 ✓
288	8 ✓

☐ + ☐ + ☐

+ ☐ = ☐

$23 \times 11 =$

23	1 ✓
	2 ✓
	4 ✓
	8 ✓

☐ + ☐ + ☐

= ☐

$51 \times 13 =$

| 51 | 1 |

$14 \times 25 =$

♀ 규칙을 찾아 곱셈을 하시오.

러시아 곱셈

21 × 12 ➡ 21 × 12 ➡ 21 × 12 = 252

×2 (21	12) ÷2	21	12	21	12
42	6	42	6	42	6
84	3	84	3 ✓	84	3 ✓
168	1	168	1 ✓	168	1 ✓

84 + 168 = 252

각각의 수를 쓰고, 왼쪽의 수는 ×2, 오른쪽의 수는 ÷2를 합니다. 단, 3과 같이 홀수는 1을 뺀 수에서 ÷2를 합니다.

오른쪽 수 중 홀수의 옆에 ✓표를 합니다.

✓표 한 줄의 왼쪽 수를 모두 더합니다.

15 × 18 = ☐

15	18
30	9 ✓
60	4
120	2
240	1 ✓

30 + 240 = ☐

33 × 24 = ☐

33	24
66	12
132	6
264	3 ✓
528	1 ✓

☐ + ☐ = ☐

$19 \times 17 =$

19	17 ∨
38	8 ∨
76	4 ∨
152	2 ∨
304	1 ∨

☐ + ☐ = ☐

$28 \times 22 =$

28	22 ∨
☐	11 ∨
☐	5 ∨
☐	2 ∨
☐	1 ∨

☐ + ☐ + ☐

= ☐

4

C02

$25 \times 14 =$

| 25 | 14 |

$32 \times 28 =$

2
일차

가장 큰 값

🌷 주어진 숫자 카드를 사용하여 만든 곱셈식 중에서 **가장 큰 값**을 찾아보시오.

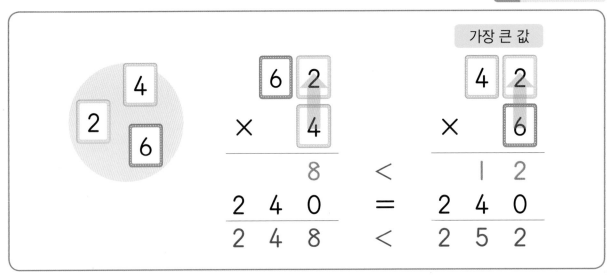

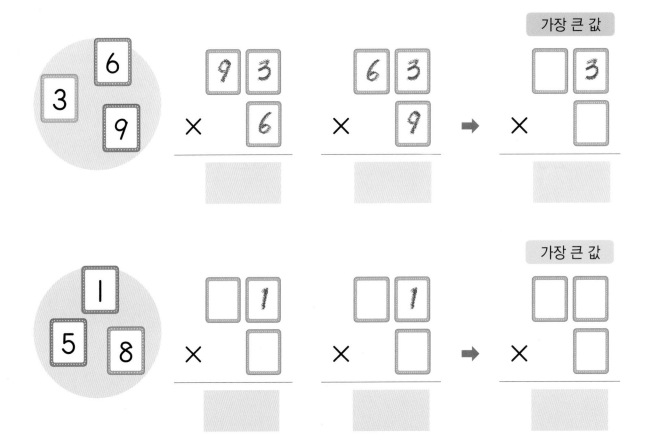

가장 큰 값

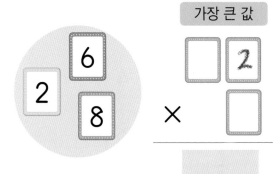

가장 큰 값

가장 큰 값

4
C02

가장 큰 값

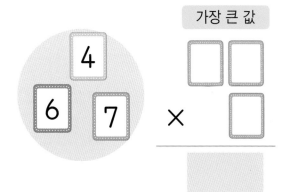

가장 큰 값

🌼 주어진 숫자 카드를 사용하여 만든 곱셈식들 중에서 **가장 큰 값**을 찾아보시오.

🖨 온라인 활동지

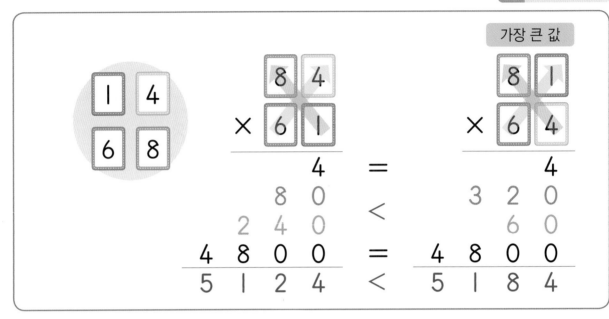

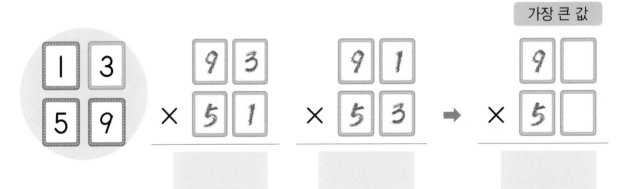

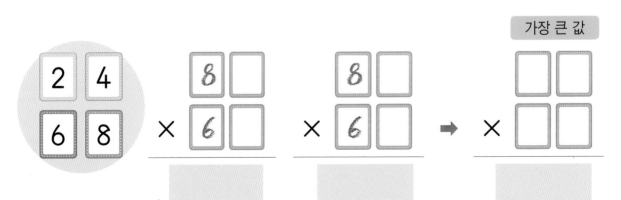

가장 큰 값

2 5
6 9

```
    9 [ ]
×   6 [ ]
─────────
[      ]
```

가장 큰 값

1 3
5 7

```
    7 [ ]
×   5 [ ]
─────────
[      ]
```

가장 큰 값

3 6
8 9

```
    9 [ ]
×   8 [ ]
─────────
[      ]
```

4

C02

가장 큰 값

1 5
7 9

```
    [ ] [ ]
×   [ ] [ ]
─────────
[      ]
```

가장 큰 값

1 2
6 8

```
    [ ] [ ]
×   [ ] [ ]
─────────
[      ]
```

3 일차

벌레먹은 셈

🌷 ▨ 안에 알맞은 숫자를 써넣으시오.

─◯ 보기 ◯─

$$
\begin{array}{r}
1\ 2 \\
\times\quad \boxed{2} \\
\hline
2\ 4
\end{array}
$$

$10 \times \Box = 20$　$2 \times \Box = 4$

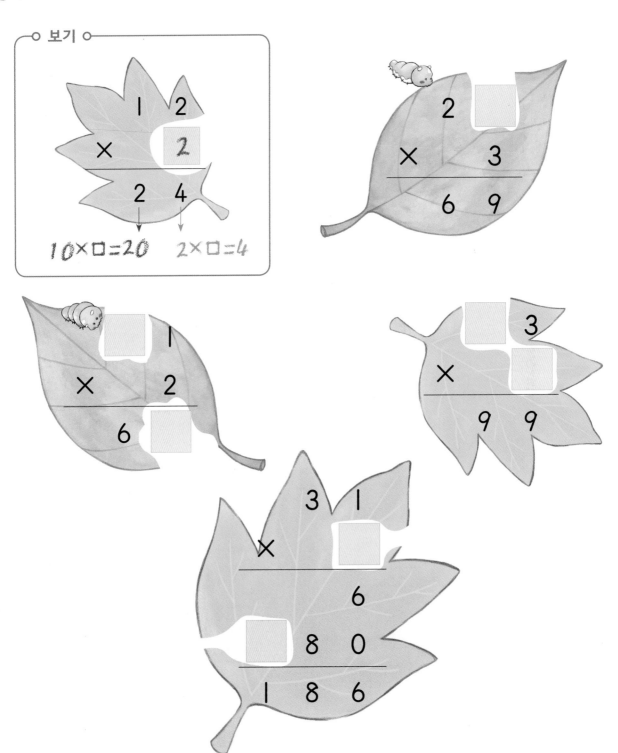

$$
\begin{array}{r}
2\ \boxed{} \\
\times\quad 3 \\
\hline
6\ 9
\end{array}
$$

$$
\begin{array}{r}
\boxed{}\ 1 \\
\times\quad 2 \\
\hline
6\ \boxed{}
\end{array}
$$

$$
\begin{array}{r}
\boxed{}\ 3 \\
\times\quad \boxed{} \\
\hline
9\ 9
\end{array}
$$

$$
\begin{array}{r}
3\ 1 \\
\times\quad \boxed{} \\
\hline
6 \\
\boxed{}\ 8\ 0 \\
\hline
1\ 8\ 6
\end{array}
$$

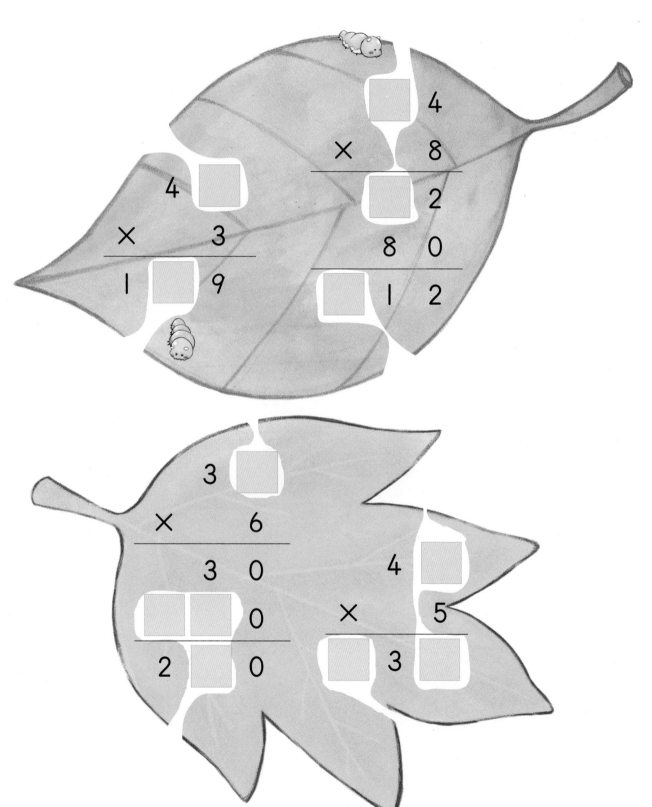

$$
\begin{array}{r}
4\ \square \\
\times\quad 3 \\
\hline
1\ \square\ 9
\end{array}
$$

$$
\begin{array}{r}
\square\ 4 \\
\times\quad 8 \\
\hline
\square\ 2 \\
8\ 0 \\
\hline
\square\ 1\ 2
\end{array}
$$

$$
\begin{array}{r}
3\ \square \\
\times\quad 6 \\
\hline
3\ 0 \\
\square\ \square\ 0 \\
\hline
2\ \square\ 0
\end{array}
$$

$$
\begin{array}{r}
4\ \square \\
\times\quad 5 \\
\hline
\square\ 3\ \square
\end{array}
$$

C02

🦉 ▨ 안에 알맞은 숫자를 써넣으시오.

$$\begin{array}{r} 4\ \square \\ \times\ 3\ 0 \\ \hline 1\ 4\ 1\ 0 \end{array}$$

$$\begin{array}{r} 2\ \square \\ \times\ 4\ 0 \\ \hline 1\ 1\ 2\ 0 \end{array}$$

$$\begin{array}{r} 7\ \square \\ \times\ 4\ 0 \\ \hline 3\ \square\ 4\ 0 \end{array}$$

$$\begin{array}{r} 3\ \square \\ \times\ 5\ 0 \\ \hline \square\ 9\ 5\ 0 \end{array}$$

$$\begin{array}{r} 6\ 3 \\ \times\ \square\ 0 \\ \hline 2\ \square\ 2\ 0 \end{array}$$

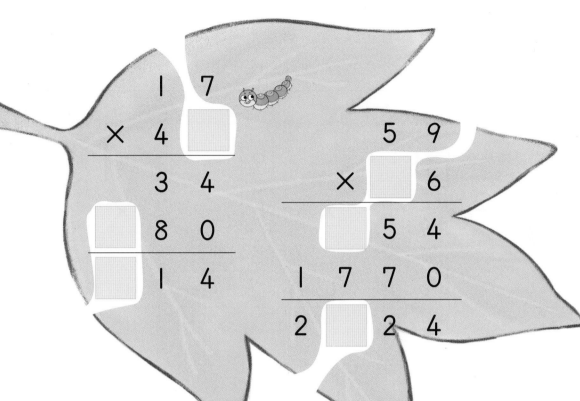

4
C02

4 일차

가장 작은 값

🌷 주어진 숫자 카드를 사용하여 만든 곱셈식 중에서 **가장 작은 값**을 찾아보시오.

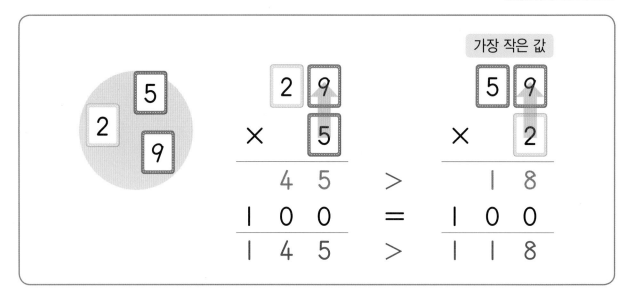

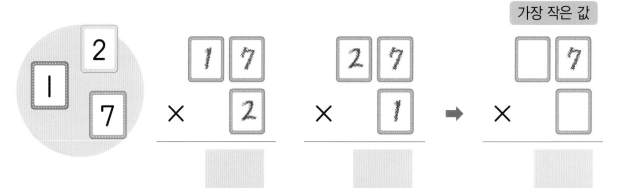

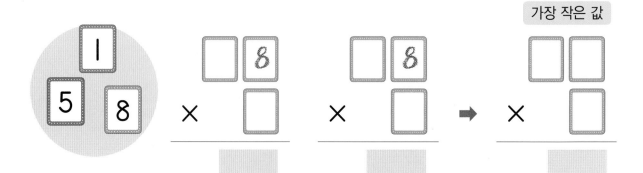

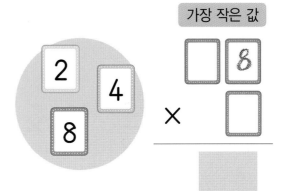

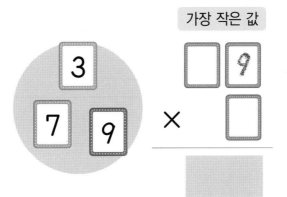

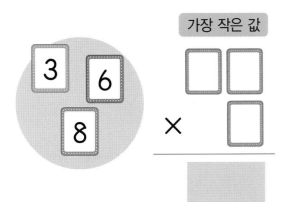

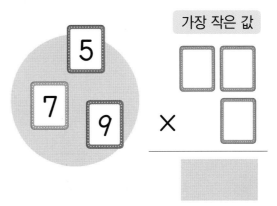

주어진 숫자 카드를 사용하여 만든 곱셈식 중에서 **가장 작은 값**을 찾아보시오.

온라인 활동지

가장 작은 값

| 2 5 | |
| 7 9 | |

$$
\begin{array}{r}
2\ 9 \\
\times\ 5\ 7 \\
\hline
6\ 3 \\
1\ 4\ 0 \\
4\ 5\ 0 \\
\hline
1\ 0\ 0\ 0 \\
\hline
1\ 6\ 5\ 3
\end{array}
$$

$$
\begin{array}{r}
2\ 7 \\
\times\ 5\ 9 \\
\hline
6\ 3 \\
1\ 8\ 0 \\
3\ 5\ 0 \\
\hline
1\ 0\ 0\ 0 \\
\hline
1\ 5\ 9\ 3
\end{array}
$$

63 = 63
140 > 180
450 > 350
1000 = 1000
1653 > 1593

| 1 3 | |
| 8 9 | |

가장 작은 값

1 9
× 3 8

1 8
× 3 9

➡

1 □
× 3 □

| 2 4 | |
| 6 8 | |

가장 작은 값

2 □
× 4 □

2 □
× 4 □

➡

□ □
× □ □

가장 작은 값

1	3
5	8

	1	
×	3	

가장 작은 값

1	5
6	9

	1	
×	5	

가장 작은 값

3	5
7	9

	3	
×	5	

가장 작은 값

2	3
7	8

×		

가장 작은 값

6	7
8	9

×		

4

C02

복면산

❧ ▨ 안에 알맞은 숫자를 써넣으시오. (단, 같은 모양은 같은 숫자를 나타냅니다.)

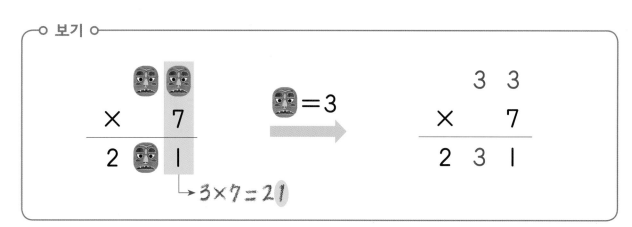

보기

$3 \times 7 = 21$

$$
\begin{array}{r}
🎭\ 2 \\
\times\ \ \ 2 \\
\hline
8\ 🎭
\end{array}
$$

🎭 = ▨

$$
\begin{array}{r}
🎭\ 2 \\
\times\ \ \ 🎭 \\
\hline
9\ 6
\end{array}
$$

🎭 = ▨

$$
\begin{array}{r}
🎭\ 4 \\
\times\ \ \ 🎭 \\
\hline
4\ 8
\end{array}
$$

🎭 = ▨

$$
\begin{array}{r}
8\ 🎭 \\
\times\ \ \ 4 \\
\hline
3\ 🎭\ 8
\end{array}
$$

🎭 = ▨

$$\begin{array}{r} 7\ 1 \\ \times\quad \fbox{} \\ \hline 3\ \fbox{}\ \fbox{} \end{array}$$

 =

$$\begin{array}{r} 6\ \fbox{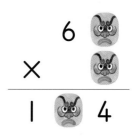} \\ \times\quad \fbox{} \\ \hline 1\ \fbox{}\ 4 \end{array}$$

 =

$$\begin{array}{r} 7\ \fbox{} \\ \times\quad 6 \\ \hline 2\ \fbox{} \\ \fbox{}\ 2\ 0 \\ \hline \fbox{}\ \fbox{}\ \fbox{} \end{array}$$

 =

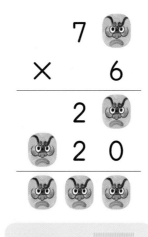

$$\begin{array}{r} \fbox{}\ \fbox{} \\ \times\quad \fbox{} \\ \hline 8\ 1 \\ 8\ 1\ 0 \\ \hline 8\ \fbox{}\ 1 \end{array}$$

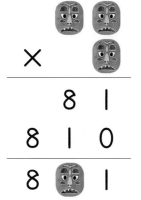 =

$$\begin{array}{r} \fbox{}\ 7 \\ \times\quad \fbox{} \\ \hline 2\ \fbox{} \\ 9\ 0 \\ \hline \fbox{}\ \fbox{}\ \fbox{} \end{array}$$

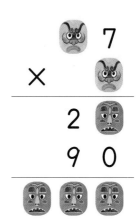 = , =

4
C02

🌷 ■ 안에 알맞은 숫자를 써넣으시오. (단, 같은 모양은 같은 숫자를 나타냅니다.)

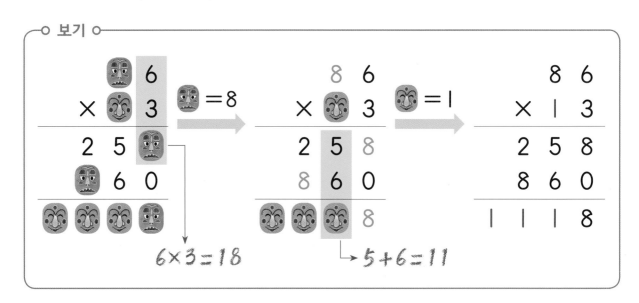

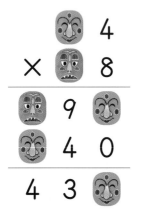

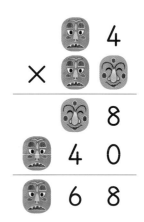

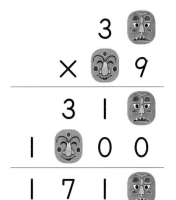

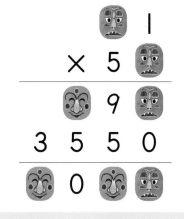

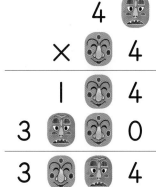

4
C02

memo

C02
정답

1주 1일차 (몇십)×(몇)

일의 자리에서는 올림이 없고, 십의 자리에서만 올림이 있는 (몇십)×(몇)을 계산하는 과정입니다.

곱셈의 개념은 같은 수를 여러 번 더하는 것으로 묶어 세기와 뛰어 세기의 원리가 적용됩니다. 곱셈의 개념과 곱셈구구를 바탕으로 (몇십)×(몇)의 계산 원리를 이해하고, 계산 과정을 형식화합니다.

이때 몇 십을 곱하면 계산 결과에 0이 한 번 나오게 됨을 알게 하고, 자릿수를 맞추어 계산하면 세로셈으로 바꾸지 않아도 쉽게 계산할 수 있음을 느끼도록 지도해 주세요.

$$80 \times 2 = \boxed{80} + \boxed{80} = \boxed{160} \quad \Rightarrow \quad 80 \times 2 = \boxed{1\ 6\ 0}$$

8×2

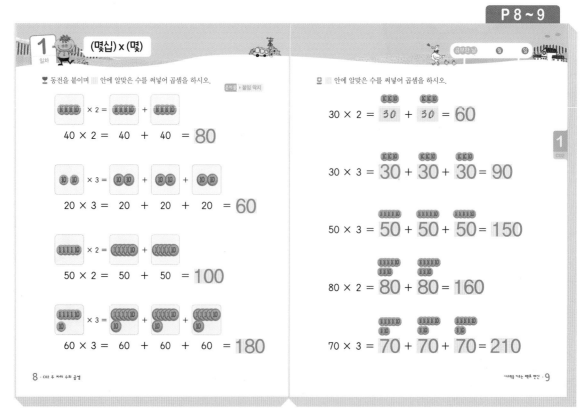

1일차 (몇십) × (몇)

❤ 동전을 붙이며 ▨ 안에 알맞은 수를 써넣어 곱셈을 하시오.

$40 \times 2 = 40 + 40 = 80$

$20 \times 3 = 20 + 20 + 20 = 60$

$50 \times 2 = 50 + 50 = 100$

$60 \times 3 = 60 + 60 + 60 = 180$

▨ 안에 알맞은 수를 써넣어 곱셈을 하시오.

$30 \times 2 = 30 + 30 = 60$

$30 \times 3 = 30 + 30 + 30 = 90$

$50 \times 3 = 50 + 50 + 50 = 150$

$80 \times 2 = 80 + 80 = 160$

$70 \times 3 = 70 + 70 + 70 = 210$

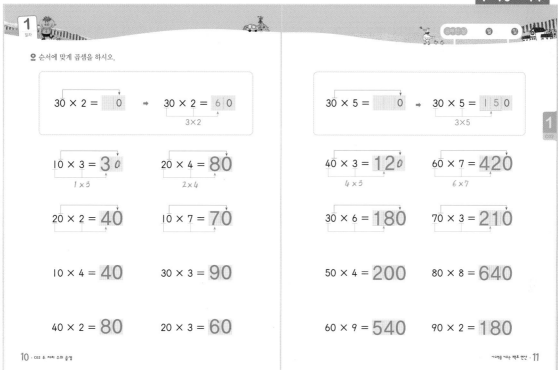

1 일차

⚬ 순서에 맞게 곱셈을 하시오.

30 × 2 = ☐ 0 ➡ 30 × 2 = 6 0
                      3×2

30 × 5 = ☐ 0 ➡ 30 × 5 = 1 5 0
                      3×5

10 × 3 = 3 0   20 × 4 = 80
   1×3   2×4

40 × 3 = 12 0   60 × 7 = 420
   4×3   6×7

20 × 2 = 40   10 × 7 = 70

30 × 6 = 180   70 × 3 = 210

10 × 4 = 40   30 × 3 = 90

50 × 4 = 200   80 × 8 = 640

40 × 2 = 80   20 × 3 = 60

60 × 9 = 540   90 × 2 = 180

10 · C02 두 자리 수의 곱셈

사고력을 키우는 팩토 연산 · 11

---

1 일차

⚬ 곱셈을 하시오.

30 × 3 = 90   20 × 4 = 80   70 × 2 = 140   80 × 5 = 400

10 × 5 = 50   30 × 1 = 30   30 × 4 = 120   20 × 9 = 180

20 × 3 = 60   10 × 9 = 90   40 × 5 = 200   60 × 4 = 240

10 × 8 = 80   20 × 2 = 40   70 × 3 = 210   40 × 8 = 320

10 × 4 = 40   10 × 7 = 70   50 × 9 = 450   90 × 6 = 540

30 × 2 = 60   40 × 2 = 80   60 × 6 = 360   50 × 7 = 350

12 · C02 두 자리 수의 곱셈

학습가이드

일의 자리에서 올림이 없고, 십의 자리에서 올림이 있는 (몇십 몇)×(몇)을 계산하는 과정입니다.

가로셈 형식으로 곱을 구할 때에는 일의 자리를 계산한 다음, 십의 자리를 계산하는 방법으로 형식화합니다.

(몇십 몇)×(몇)의 계산은 세로셈 형식으로 바꾸지 않고 곱셈구구와 자릿수 개념을 이용하여 가로셈으로 계산하는 것이 편리함을 느끼도록 지도해 주세요.

$$
\begin{array}{r}
1 \times 6 = 6 \\
20 \times 6 = 120 \\
\hline
21 \times 6 = 126
\end{array}
$$

$$
21 \times 6 = 126
$$
(1×6, 2×6)

P 14 ~ 15

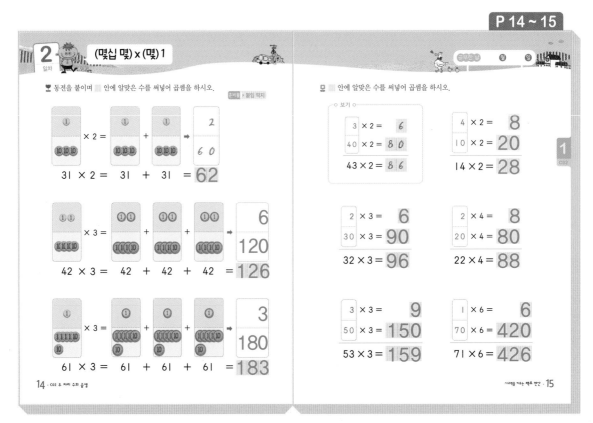

2일차 (몇십 몇)×(몇)1

동전을 붙이며 ▨ 안에 알맞은 수를 써넣어 곱셈을 하시오.

31 × 2 = 31 + 31 = 62 → 2 / 60

42 × 3 = 42 + 42 + 42 = 126 → 6 / 120

61 × 3 = 61 + 61 + 61 = 183 → 3 / 180

▨ 안에 알맞은 수를 써넣어 곱셈을 하시오.

보기
$$
\begin{array}{r}
3 \times 2 = 6 \\
40 \times 2 = 80 \\
\hline
43 \times 2 = 86
\end{array}
$$

$$
\begin{array}{r}
4 \times 2 = 8 \\
10 \times 2 = 20 \\
\hline
14 \times 2 = 28
\end{array}
$$

$$
\begin{array}{r}
2 \times 3 = 6 \\
30 \times 3 = 90 \\
\hline
32 \times 3 = 96
\end{array}
$$

$$
\begin{array}{r}
2 \times 4 = 8 \\
20 \times 4 = 80 \\
\hline
22 \times 4 = 88
\end{array}
$$

$$
\begin{array}{r}
3 \times 3 = 9 \\
50 \times 3 = 150 \\
\hline
53 \times 3 = 159
\end{array}
$$

$$
\begin{array}{r}
1 \times 6 = 6 \\
70 \times 6 = 420 \\
\hline
71 \times 6 = 426
\end{array}
$$

14 · C02 두 자리 수의 곱셈

사고력을 키우는 팩토 연산 · 15

P 16 ~ 17

2 일차

😊 순서에 맞게 곱셈을 하시오.

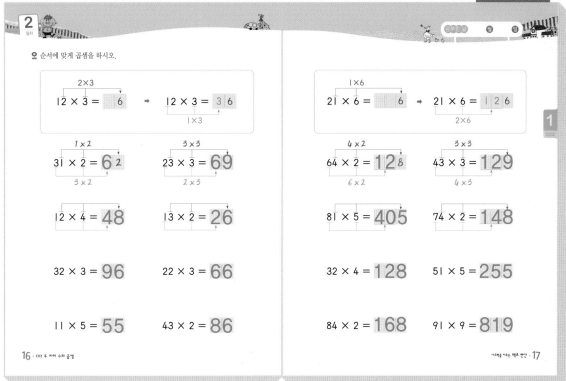

2×3
12 × 3 = ⬜6 → 12 × 3 = ⬜3 6
                     1×3

1×6
21 × 6 = ⬜6 → 21 × 6 = ⬜1 2 6
                     2×6

1×2
31 × 2 = 6 2
3×2

3×3
23 × 3 = 69
2×3

4×2
64 × 2 = 12 8
6×2

3×3
43 × 3 = 129
4×3

12 × 4 = 48

13 × 2 = 26

81 × 5 = 405

74 × 2 = 148

32 × 3 = 96

22 × 3 = 66

32 × 4 = 128

51 × 5 = 255

11 × 5 = 55

43 × 2 = 86

84 × 2 = 168

91 × 9 = 819

16 · C02 두 자리 수의 곱셈

사고력을 키우는 팩토 연산 · 17

P 18 ~ 19

2 일차

😊 곱셈을 하시오.

34 × 2 = 68   11 × 5 = 55   73 × 2 = 146   51 × 6 = 306

21 × 3 = 63   33 × 3 = 99   53 × 3 = 159   42 × 3 = 126

11 × 8 = 88   12 × 4 = 48   21 × 5 = 105   62 × 4 = 248

41 × 2 = 82   23 × 3 = 69   84 × 2 = 168   91 × 7 = 637

21 × 3 = 63   22 × 4 = 88   31 × 9 = 279   72 × 3 = 216

42 × 2 = 84   13 × 3 = 39   92 × 4 = 368   81 × 6 = 486

18 · C02 두 자리 수의 곱셈

학습가이드

1, 2일차에서 배운 (몇십)×(몇), (몇십 몇)×(몇)의 계산을 기초로 (두 자리 수)×(한 자리 수)의 계산을 완성하는 과정입니다. 이번에는 일의 자리와 십의 자리에서 동시에 올림이 있는 계산까지 나옵니다.

아이들은 올림이 2번 있는 곱셈 계산 과정 중에 나오는 덧셈에서 실수를 많이 합니다.

따라서 세로셈의 필산 과정을 통하여 계산 원리를 익히고, 이를 가로셈으로 적용하여 마무리합니다.

$$
\begin{array}{r}
\overset{2}{} \\
5\ 8 \\
\times\quad 3 \\
\hline
1\ 7\ 4
\end{array}
$$

$$58 \times 3 = 174$$

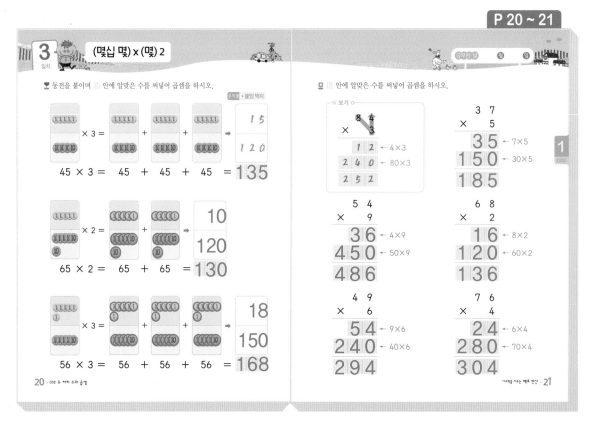

3일차

순서에 맞게 곱셈을 하시오.

$$
\begin{array}{r}
{\scriptstyle 2} \\
5\ 8 \\
\times\quad 3 \\
\hline
4
\end{array}
\quad\rightarrow\quad
\begin{array}{r}
{\scriptstyle 2} \\
5\ 8 \\
\times\quad 3 \\
\hline
1\ 7\ 4
\end{array}
$$

$$
\begin{array}{r}
{\scriptstyle 1} \\
4\ 3 \\
\times\quad 6 \\
\hline
2\ 5\ 8
\end{array}
\qquad
\begin{array}{r}
{\scriptstyle 3} \\
3\ 6 \\
\times\quad 5 \\
\hline
1\ 8\ 0
\end{array}
$$

$$
\begin{array}{r}
{\scriptstyle 1} \\
8\ 7 \\
\times\quad 2 \\
\hline
1\ 7\ 4
\end{array}
\qquad
\begin{array}{r}
{\scriptstyle 3} \\
5\ 4 \\
\times\quad 9 \\
\hline
4\ 8\ 6
\end{array}
$$

$$
\begin{array}{r}
{\scriptstyle 7} \\
2\ 9 \\
\times\quad 8 \\
\hline
2\ 3\ 2
\end{array}
\qquad
\begin{array}{r}
{\scriptstyle 2} \\
6\ 8 \\
\times\quad 3 \\
\hline
2\ 0\ 4
\end{array}
$$

$47 \times 3 = 1 \quad\rightarrow\quad 47 \times 3 = 141$

$56 \times 3 = 168$

$23 \times 7 = 161$

$26 \times 6 = 156$

$64 \times 3 = 192$

$88 \times 2 = 176$

$52 \times 6 = 312$

$34 \times 9 = 306$

$29 \times 8 = 232$

3일차

곱셈을 하시오.

$$
\begin{array}{r}
6\ 7 \\
\times\quad 2 \\
\hline
1\ 3\ 4
\end{array}
\qquad
\begin{array}{r}
4\ 3 \\
\times\quad 5 \\
\hline
2\ 1\ 5
\end{array}
\qquad
\begin{array}{r}
3\ 6 \\
\times\quad 8 \\
\hline
2\ 8\ 8
\end{array}
$$

$$
\begin{array}{r}
7\ 5 \\
\times\quad 3 \\
\hline
2\ 2\ 5
\end{array}
\qquad
\begin{array}{r}
9\ 4 \\
\times\quad 4 \\
\hline
3\ 7\ 6
\end{array}
\qquad
\begin{array}{r}
4\ 9 \\
\times\quad 6 \\
\hline
2\ 9\ 4
\end{array}
$$

$$
\begin{array}{r}
9\ 3 \\
\times\quad 9 \\
\hline
8\ 3\ 7
\end{array}
\qquad
\begin{array}{r}
2\ 8 \\
\times\quad 9 \\
\hline
2\ 5\ 2
\end{array}
\qquad
\begin{array}{r}
8\ 6 \\
\times\quad 7 \\
\hline
6\ 0\ 2
\end{array}
$$

$76 \times 2 = 152$

$42 \times 5 = 210$

$53 \times 6 = 318$

$62 \times 7 = 434$

$73 \times 9 = 657$

$55 \times 4 = 220$

$84 \times 4 = 336$

$26 \times 6 = 156$

$14 \times 8 = 112$

$87 \times 8 = 696$

$39 \times 6 = 234$

$67 \times 3 = 201$

학습가이드

1, 2, 3일차에서 학습한 (두 자리 수)×(한 자리 수)의 계산 원리를 이용하여 (몇십)×(몇십), (몇십 몇)×(몇십)을 계산하는 과정입니다.

일의 자리에 0이 있는 두 자리 수의 곱셈도 3일차의 (두 자리 수)×(한 자리 수)의 계산 원리와 비슷하므로 이를 중심으로 추론하여 이해하게 합니다. 복잡해 보이는 계산 같지만 결코 어려운 계산이 아님을 느끼게 하고, 자릿수를 맞추어 연산에 대한 정확도를 높이는 연습을 해 주세요.

$$40 \times 30 = 1200 \quad \Rightarrow \quad 46 \times 30 = 1380$$

$4 \times 3 \qquad\qquad 46 \times 3$

P 26 ~ 27

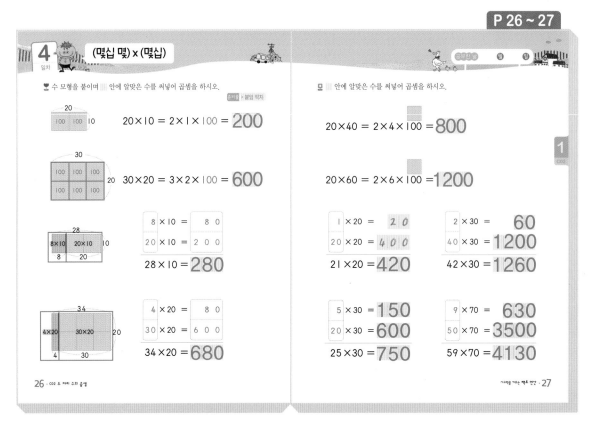

4 일차 **(몇십 몇)×(몇십)**

수 모형을 붙이며 ▨ 안에 알맞은 수를 써넣어 곱셈을 하시오.

$20 \times 10 = 2 \times 1 \times 100 = 200$

$30 \times 20 = 3 \times 2 \times 100 = 600$

$8 \times 10 = 80$
$20 \times 10 = 200$
$28 \times 10 = 280$

$4 \times 20 = 80$
$30 \times 20 = 600$
$34 \times 20 = 680$

▨ 안에 알맞은 수를 써넣어 곱셈을 하시오.

$20 \times 40 = 2 \times 4 \times 100 = 800$

$20 \times 60 = 2 \times 6 \times 100 = 1200$

$1 \times 20 = 20$
$20 \times 20 = 400$
$21 \times 20 = 420$

$2 \times 30 = 60$
$40 \times 30 = 1200$
$42 \times 30 = 1260$

$5 \times 30 = 150$
$20 \times 30 = 600$
$25 \times 30 = 750$

$9 \times 70 = 630$
$50 \times 70 = 3500$
$59 \times 70 = 4130$

P 28 ~ 29

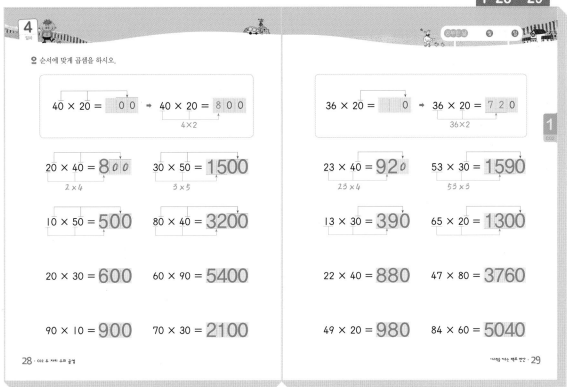

4 일차

순서에 맞게 곱셈을 하시오.

40 × 20 = ☐ 0 0 → 40 × 20 = 8 0 0   (4×2)

36 × 20 = ☐ 0 → 36 × 20 = 7 2 0   (36×2)

20 × 40 = 800   (2×4)   30 × 50 = 1500   (3×5)

23 × 40 = 920   (23×4)   53 × 30 = 1590   (53×3)

10 × 50 = 500   80 × 40 = 3200

13 × 30 = 390   65 × 20 = 1300

20 × 30 = 600   60 × 90 = 5400

22 × 40 = 880   47 × 80 = 3760

90 × 10 = 900   70 × 30 = 2100

49 × 20 = 980   84 × 60 = 5040

P 30 ~ 31

4 일차

곱셈을 하시오.

40 × 10 = 400   30 × 40 = 1200
20 × 30 = 600   60 × 50 = 3000
50 × 10 = 500   20 × 80 = 1600
20 × 40 = 800   70 × 30 = 2100
10 × 60 = 600   80 × 70 = 5600
20 × 20 = 400   60 × 90 = 5400

32 × 10 = 320   25 × 60 = 1500
15 × 50 = 750   94 × 20 = 1880
23 × 40 = 920   36 × 70 = 2520
66 × 10 = 660   82 × 50 = 4100
37 × 20 = 740   48 × 70 = 3360
12 × 70 = 840   89 × 80 = 7120

이미 학습한 (두 자리 수)×(한 자리 수)와 (두 자리 수)×(몇십)의 계산 원리를 이용하여 (두 자리 수)×(두 자리 수)를 세로셈 형식으로 계산하는 과정입니다.
(두 자리 수)×(두 자리 수)의 계산은 (두 자리 수)×(한 자리 수)와 (두 자리 수)×(몇십)의 두 부분으로 나누어서 곱을 구한 후 두 수를 더하면 된다는 것을 알 수 있도록 합니다.
복잡해 보이는 두 자리 수의 곱셈도 세로셈을 이용하면 정확하게 구할 수 있음을 아이 스스로 느끼도록 지도해 주세요.

$$\begin{array}{r} 6\ 8 \\ \times\ 3\ 2 \\ \hline 1\ 3\ 6 \end{array} \quad\Rightarrow\quad \begin{array}{r} 6\ 8 \\ \times\ 3\ 2 \\ \hline 1\ 3\ 6 \\ 2\ 0\ 4 \end{array} \quad\Rightarrow\quad \begin{array}{r} 6\ 8 \\ \times\ 3\ 2 \\ \hline 1\ 3\ 6 \\ 2\ 0\ 4 \\ \hline 2\ 1\ 7\ 6 \end{array}$$

P 32 ~ 33

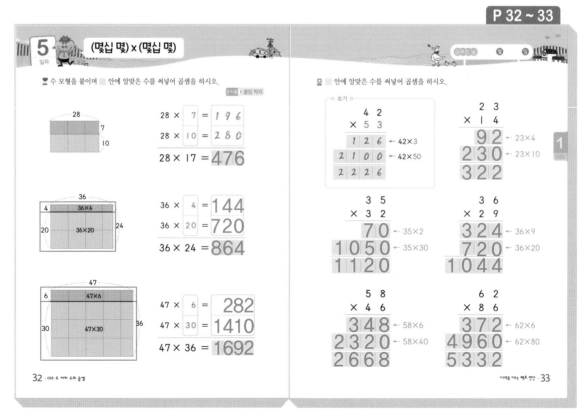

P 34 ~ 35

5 일차

순서에 맞게 곱셈을 하시오.

$$\begin{array}{r} 68 \\ \times\ 32 \\ \hline 136 \end{array} \rightarrow \begin{array}{r} 68 \\ \times\ 32 \\ \hline 136 \\ 204 \end{array} \rightarrow \begin{array}{r} 68 \\ \times\ 32 \\ \hline 136 \\ 204 \\ \hline 2176 \end{array}$$

$$\begin{array}{r} 16 \\ \times\ 42 \\ \hline 32 \\ 64 \\ \hline 672 \end{array} \qquad \begin{array}{r} 47 \\ \times\ 21 \\ \hline 47 \\ 94 \\ \hline 987 \end{array}$$

$$\begin{array}{r} 73 \\ \times\ 93 \\ \hline 219 \\ 657 \\ \hline 6789 \end{array} \qquad \begin{array}{r} 55 \\ \times\ 66 \\ \hline 330 \\ 330 \\ \hline 3630 \end{array}$$

$$\begin{array}{r} 21 \\ \times\ 85 \\ \hline 105 \\ 168 \\ \hline 1785 \end{array} \qquad \begin{array}{r} 42 \\ \times\ 56 \\ \hline 252 \\ 210 \\ \hline 2352 \end{array}$$

$$\begin{array}{r} 45 \\ \times\ 21 \\ \hline 45 \\ 90 \\ \hline 945 \end{array} \qquad \begin{array}{r} 39 \\ \times\ 27 \\ \hline 273 \\ 78 \\ \hline 1053 \end{array}$$

$$\begin{array}{r} 44 \\ \times\ 77 \\ \hline 308 \\ 308 \\ \hline 3388 \end{array} \qquad \begin{array}{r} 34 \\ \times\ 68 \\ \hline 272 \\ 204 \\ \hline 2312 \end{array}$$

사고력을 키우는 팩토 연산 · 35

P 36 ~ 37

5 일차

곱셈을 하시오.

$$\begin{array}{r} 23 \\ \times\ 13 \\ \hline 299 \end{array} \qquad \begin{array}{r} 17 \\ \times\ 44 \\ \hline 748 \end{array} \qquad \begin{array}{r} 29 \\ \times\ 25 \\ \hline 725 \end{array}$$

$$\begin{array}{r} 60 \\ \times\ 28 \\ \hline 1680 \end{array} \qquad \begin{array}{r} 58 \\ \times\ 64 \\ \hline 3712 \end{array} \qquad \begin{array}{r} 32 \\ \times\ 85 \\ \hline 2720 \end{array}$$

$$\begin{array}{r} 24 \\ \times\ 31 \\ \hline 744 \end{array} \qquad \begin{array}{r} 35 \\ \times\ 23 \\ \hline 805 \end{array} \qquad \begin{array}{r} 67 \\ \times\ 13 \\ \hline 871 \end{array}$$

$$\begin{array}{r} 96 \\ \times\ 37 \\ \hline 3552 \end{array} \qquad \begin{array}{r} 75 \\ \times\ 93 \\ \hline 6975 \end{array} \qquad \begin{array}{r} 43 \\ \times\ 36 \\ \hline 1548 \end{array}$$

$$\begin{array}{r} 80 \\ \times\ 34 \\ \hline 2720 \end{array} \qquad \begin{array}{r} 63 \\ \times\ 29 \\ \hline 1827 \end{array} \qquad \begin{array}{r} 72 \\ \times\ 56 \\ \hline 4032 \end{array}$$

$$\begin{array}{r} 27 \\ \times\ 49 \\ \hline 1323 \end{array} \qquad \begin{array}{r} 92 \\ \times\ 57 \\ \hline 5244 \end{array} \qquad \begin{array}{r} 46 \\ \times\ 89 \\ \hline 4094 \end{array}$$

사고력을 키우는 팩토 연산 · 119

P 38 ~ 39

두 자리 수의 곱셈 **연산 실력 체크** 정답 수 /39개 날짜 월 일

2~4주 사고력 연산을 학습하기 전에 기본 연산 실력을 점검해 보세요.

1. 30 × 2 = 60

2. 20 × 4 = 80

3. 10 × 7 = 70

4. 80 × 5 = 400

5. 70 × 9 = 630

6. 60 × 6 = 360

7. 23 × 3 = 69

8. 44 × 2 = 88

9. 32 × 3 = 96

10. 61 × 7 = 427

11. 52 × 4 = 208

12. 71 × 5 = 355

연산 실력 체크 123

13. 16 × 4 = 64

14. 12 × 5 = 60

15. 27 × 6 = 162

16. 43 × 9 = 387

17. 88 × 3 = 264

18. 79 × 8 = 632

19. 20 × 40 = 800

20. 30 × 20 = 600

21. 50 × 60 = 3000

22. 41 × 70 = 2870

23. 39 × 30 = 1170

24. 86 × 70 = 6020

38 · C02 두 자리 수의 곱셈

사고력을 키우는 팩토 연산 · 39

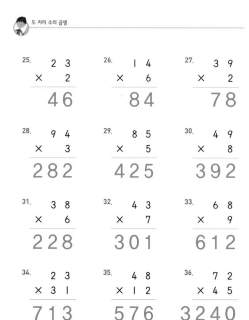

P 40 ~ 41

두 자리 수의 곱셈

25.
```
  2 3
×   2
  4 6
```

26.
```
  1 4
×   6
  8 4
```

27.
```
  3 9
×   2
  7 8
```

28.
```
  9 4
×   3
2 8 2
```

29.
```
  8 5
×   5
4 2 5
```

30.
```
  4 9
×   8
3 9 2
```

31.
```
  3 8
×   6
2 2 8
```

32.
```
  4 3
×   7
3 0 1
```

33.
```
  6 8
×   9
6 1 2
```

34.
```
  2 3
× 3 1
7 1 3
```

35.
```
  4 8
× 1 2
5 7 6
```

36.
```
  7 2
× 4 5
3 2 4 0
```

연산 실력 체크 123

37.
```
  4 9
× 9 7
4 7 5 3
```

38.
```
  8 2
× 7 6
6 2 3 2
```

39.
```
  6 2
× 3 9
2 4 1 8
```

연산 실력 분석

오답 수에 맞게 학습을 진행하시기 바랍니다.

평가	오답 수	학습 방법
최고예요	0 ~ 2개	전반적으로 학습 내용에 대해 정확히 이해하고 있으며 매우 우수합니다. 기본 연산 문제를 자신 있게 풀 수 있는 실력을 갖추었으므로 이제는 사고력을 향상시킬 차례입니다. 2주차부터 차근차근 학습을 진행해 보세요. 학습 [2주차] → [3주차] → [4주차]
잘했어요	3 ~ 4개	기본 연산 문제를 전반적으로 잘 이해하고 풀었지만 약간의 실수가 있는 것 같습니다. 틀린 문제를 다시 한 번 풀어 보고, 문제를 차근차근 푸는 습관을 갖도록 노력해 보세요. 매스티안 홈페이지에서 제공하는 보충 학습으로 연산 실력을 향상시킨 후 2, 3, 4주차 학습을 진행해 주세요. 학습 [틀린 문제 복습] → [보충 학습] → [2주차] → …
노력해요	5개 이상	개념을 정확하게 이해하고 있지 않아 연산을 하는데 어려움이 있습니다. 개념을 이해하고 연산 문제를 반복해서 연습을 해 보세요. 매스티안 홈페이지에서 제공하는 보충 연산이 연산 실력을 향상시키는데 도움이 될 것입니다. 여러분도 곧 연산왕이 될 수 있습니다. 조금만 힘을 내 주세요. 학습 [1주차 원리 중심 복습] → [보충 학습] → [2주차] → …

매스티안 홈페이지 : www.mathilan.com

40 · C02 두 자리 수의 곱셈

사고력을 키우는 팩토 연산 · 41

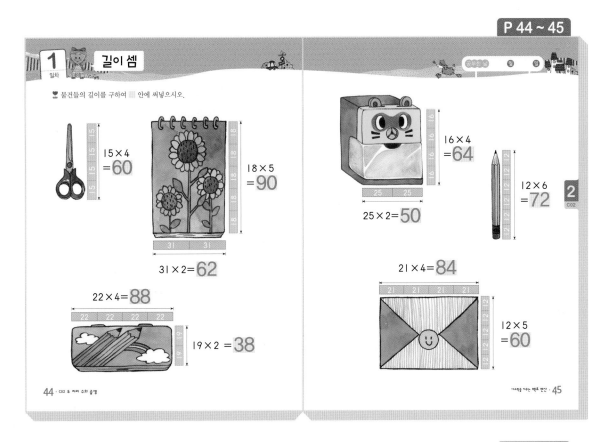

1 일차   길이 셈

🏆 물건들의 길이를 구하여 ▨ 안에 써넣으시오.

15×4 =60

18×5 =90

31×2=62

22×4=88

19×2 =38

16×4 =64

25×2=50

12×6 =72

21×4=84

12×5 =60

44 · C02 두 자리 수의 곱셈

사고력을 키우는 팩토 연산 · 45

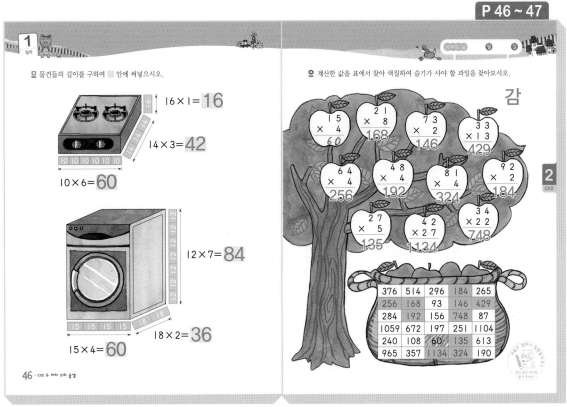

1 일차

🏆 물건들의 길이를 구하여 ▨ 안에 써넣으시오.

16×1 = 16

14×3 = 42

10×6=60

12×7=84

18×2=36

15×4=60

😊 계산한 값을 표에서 찾아 색칠하여 슬기가 사야 할 과일을 찾아보시오.

감

1 5 × 4	2 1 × 8	7 3 × 2	3 3 × 1 3
60	168	146	429

6 4 × 4	4 8 × 4	8 1 × 4	9 2 × 2
256	192	324	184

2 7 × 5	4 2 × 2 7	3 4 × 2 2
135	1134	748

376	514	296	184	265
256	168	93	146	429
284	192	156	748	87
1059	672	197	251	1104
240	108	60	135	613
965	357	1134	324	190

46 · C02 두 자리 수의 곱셈

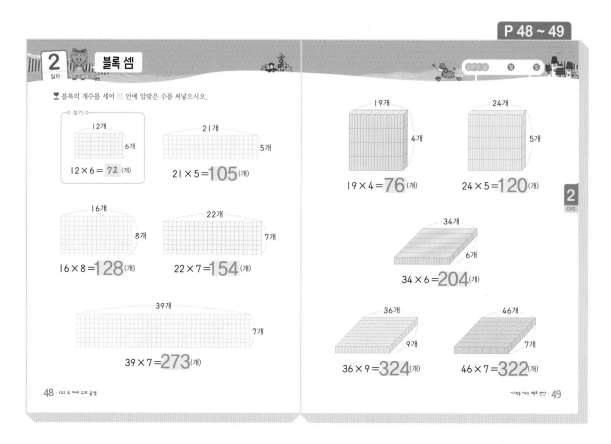

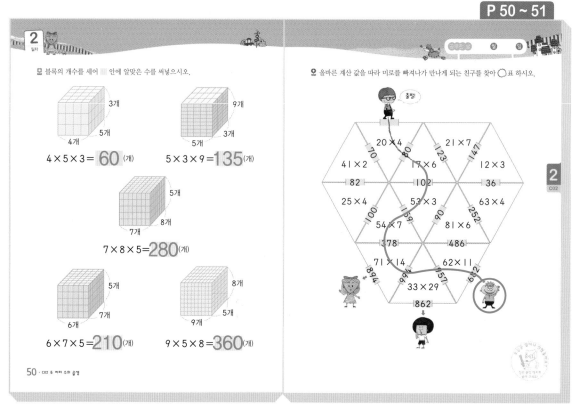

P 48 ~ 49

2 일차 블록 셈

블록의 개수를 세어 ▨ 안에 알맞은 수를 써넣으시오.

보기
12개 / 6개
$12 \times 6 = 72$ (개)

21개 / 5개
$21 \times 5 = 105$ (개)

16개 / 8개
$16 \times 8 = 128$ (개)

22개 / 7개
$22 \times 7 = 154$ (개)

39개 / 7개
$39 \times 7 = 273$ (개)

19개 / 4개
$19 \times 4 = 76$ (개)

24개 / 5개
$24 \times 5 = 120$ (개)

34개 / 6개
$34 \times 6 = 204$ (개)

36개 / 9개
$36 \times 9 = 324$ (개)

46개 / 7개
$46 \times 7 = 322$ (개)

48 · C02 두 자리 수의 곱셈

사고력을 키우는 팩토 연산 · 49

P 50 ~ 51

2 일차

블록의 개수를 세어 ▨ 안에 알맞은 수를 써넣으시오.

3개 / 4개 / 5개
$4 \times 5 \times 3 = 60$ (개)

9개 / 5개 / 3개
$5 \times 3 \times 9 = 135$ (개)

5개 / 8개 / 7개
$7 \times 8 \times 5 = 280$ (개)

5개 / 6개 / 7개
$6 \times 7 \times 5 = 210$ (개)

8개 / 9개 / 5개
$9 \times 5 \times 8 = 360$ (개)

올바른 계산 값을 따라 미로를 빠져나가 만나게 되는 친구를 찾아 ◯표 하시오.

출발!

20×4 — 70 — 80
21×7 — 123 — 147
41×2 — 82
17×6 — 102
12×3 — 36
25×4 — 100
53×3 — 159
63×4 — 252
54×7 — 378 — 90
81×6 — 486
71×14 — 894 — 994
62×11 — 457 — 682
33×29 — 862

50 · C02 두 자리 수의 곱셈

122 · C02 두 자리 수의 곱셈

P 52 ~ 53

3
일차 측정 셈

■ 안에 알맞은 수를 써넣으시오.

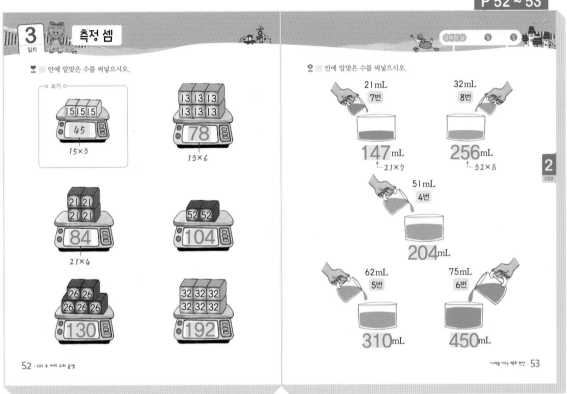

○ 보기 ○
15 15 15
45
15×3

13 13 13
13 13 13
78
13×6

21 21
21 21
84
21×4

52 52
104

26 26 26
26 26 26
130

32 32 32
32 32 32
192

오 ■ 안에 알맞은 수를 써넣으시오.

21mL 7번
147mL
21×7

32mL 8번
256mL
32×8

51mL 4번
204mL

62mL 5번
310mL

75mL 6번
450mL

52 · C02 두 자리 수의 곱셈

사고력을 키우는 팩토 연산 · 53

2
C02

P 54 ~ 55

3
일차

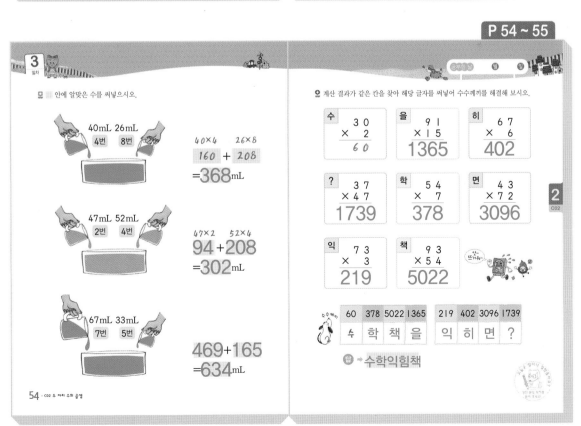

오 ■ 안에 알맞은 수를 써넣으시오.

40mL 4번 26mL 8번
40×4   26×8
160 + 208
=368mL

47mL 2번 52mL 4번
47×2   52×4
94 +208
=302mL

67mL 7번 33mL 5번
469+165
=634mL

오 계산 결과가 같은 칸을 찾아 해당 글자를 써넣어 수수께끼를 해결해 보시오.

수	을	히
30 × 2 = 60	91 × 15 = 1365	67 × 6 = 402

?	학	면
37 × 47 = 1739	54 × 7 = 378	43 × 72 = 3096

익	책	
73 × 3 = 219	93 × 54 = 5022	안 뜨거워

60	378	5022	1365		219	402	3096	1739
수	학	책	을		익	히	면	?

답 ➡ 수학익힘책

54 · C02 두 자리 수의 곱셈

2
C02

P 56 ~ 57

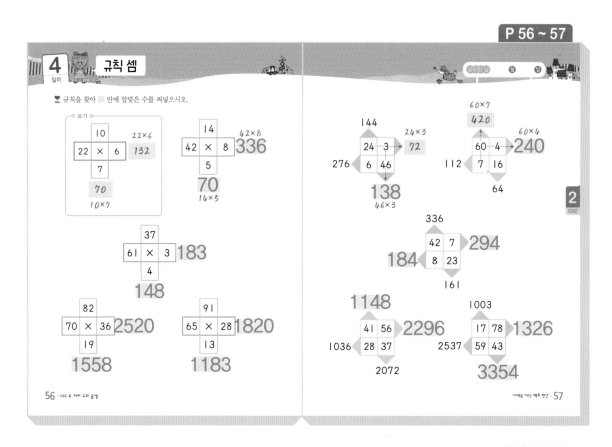

P 58 ~ 59

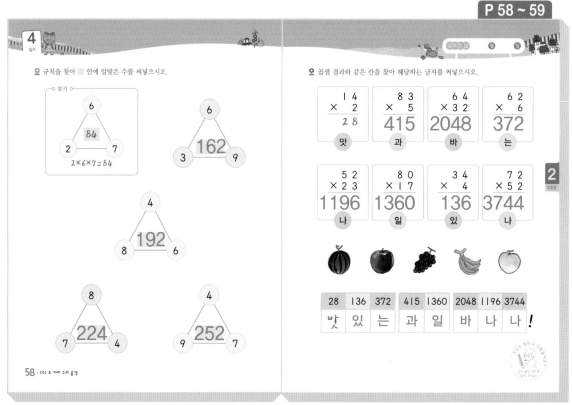

P 60 ~ 61

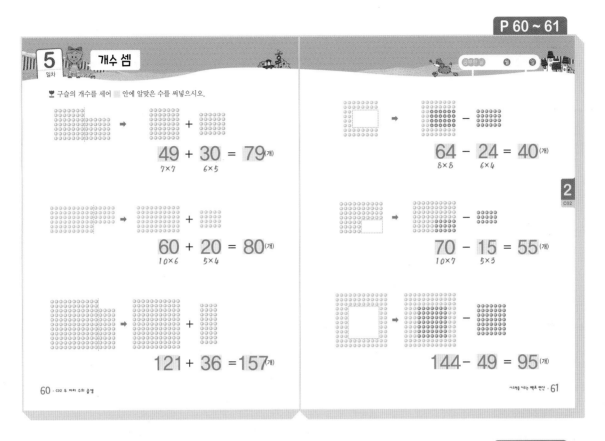

P 62 ~ 63

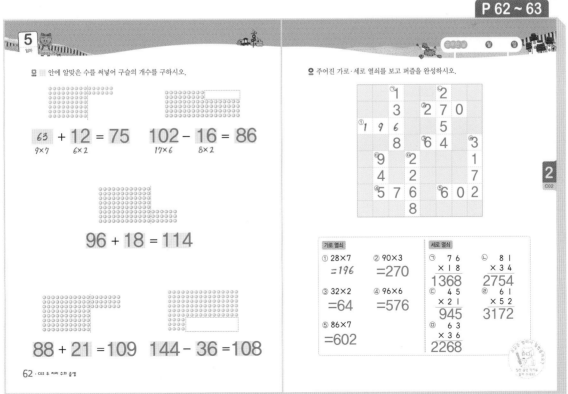

3주 1일차 기묘한 계산

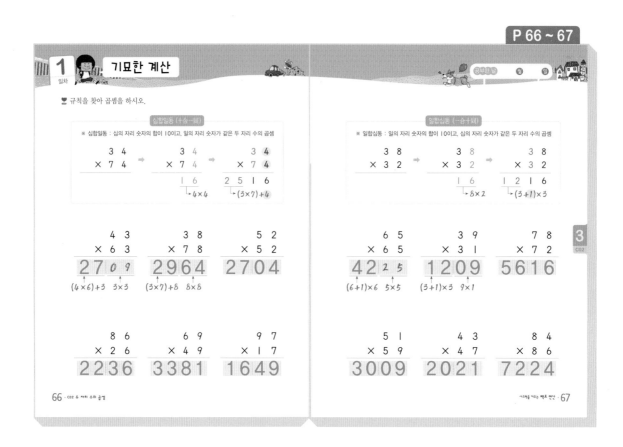

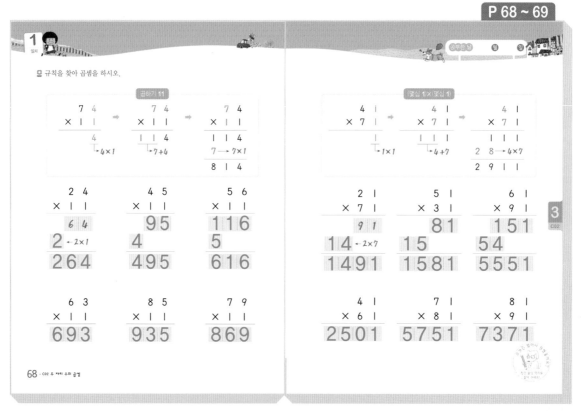

126 · C02 두 자리 수의 곱셈

P 70 ~ 71

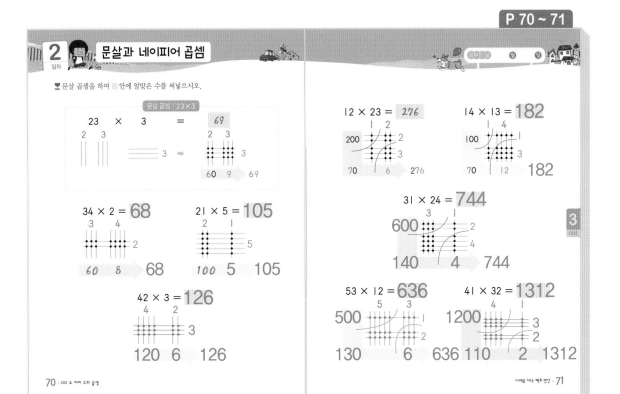

2일차 문살과 네이피어 곱셈

❤ 문살 곱셈을 하여 ▦ 안에 알맞은 수를 써넣으시오.

문살 곱셈 : 23 × 3

23 × 3 = 69

60 9 69

12 × 23 = 276

200   2
70 6 276

14 × 13 = 182

100   1
70 12 182

34 × 2 = 68

60 8 68

21 × 5 = 105

100 5 105

31 × 24 = 744

600   2
           4
140 4 744

42 × 3 = 126

120 6 126

53 × 12 = 636

500   1
           2
130 6 636

41 × 32 = 1312

1200   3
             2
110 2 1312

70 · C02 두 자리 수의 곱셈

사고력을 키우는 팩토 연산 · 71

P 72 ~ 73

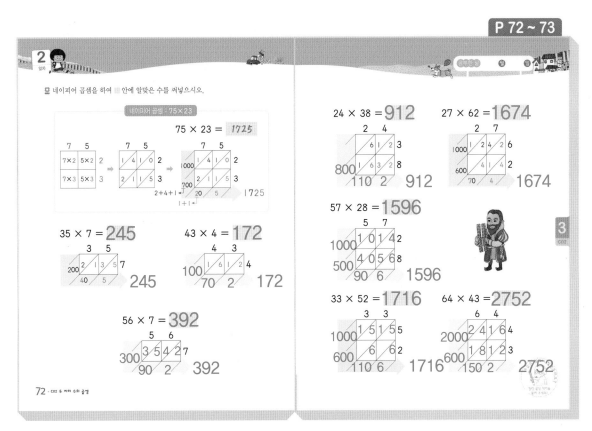

2일차

❤ 네이피어 곱셈을 하여 ▦ 안에 알맞은 수를 써넣으시오.

네이피어 곱셈 : 75 × 23

75 × 23 = 1725

7×2 5×2 2
7×3 5×3 3

1000
700
2+4+1 20 1+1 1725

35 × 7 = 245

200
40 245

43 × 4 = 172

100
70 172

56 × 7 = 392

300
90 2 392

24 × 38 = 912

800
110 2 912

27 × 62 = 1674

1000
600
70 4 1674

57 × 28 = 1596

1000
500
90 6 1596

33 × 52 = 1716

1000
600
110 6 1716

64 × 43 = 2752

2000
600
150 2 2752

72 · C02 두 자리 수의 곱셈

사고력을 키우는 팩토 연산 · 127

P 74 ~ 75

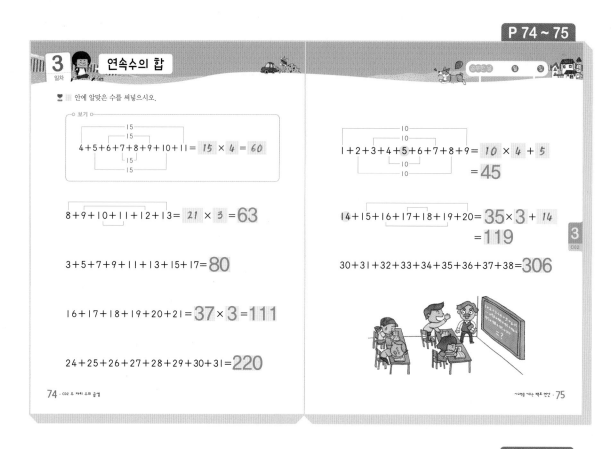

P 76 ~ 77

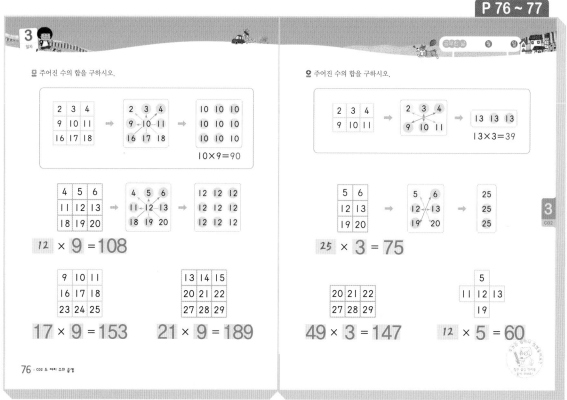

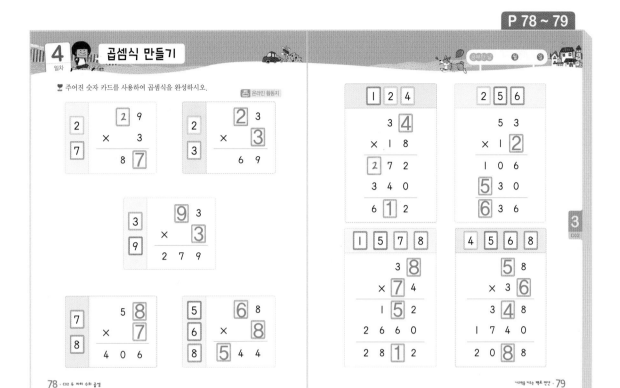

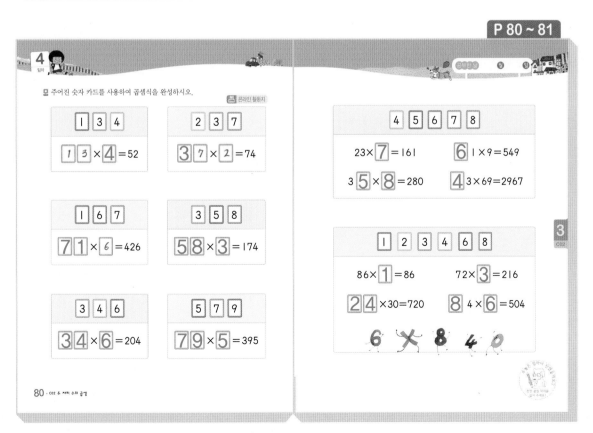

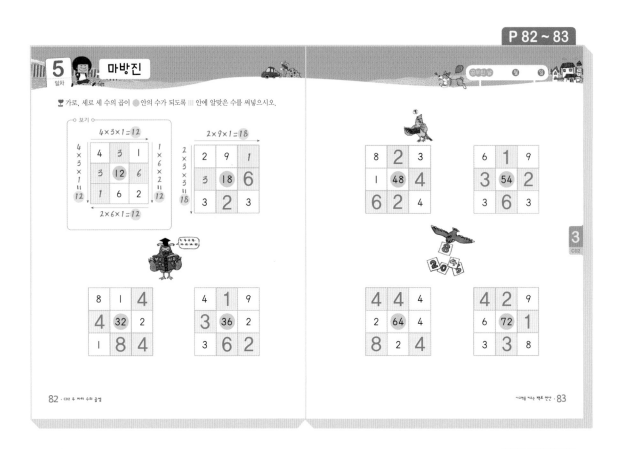

P 82 ~ 83

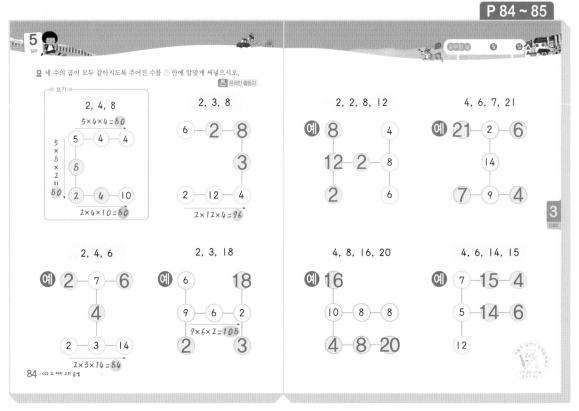

P 84 ~ 85

P 88 ~ 89

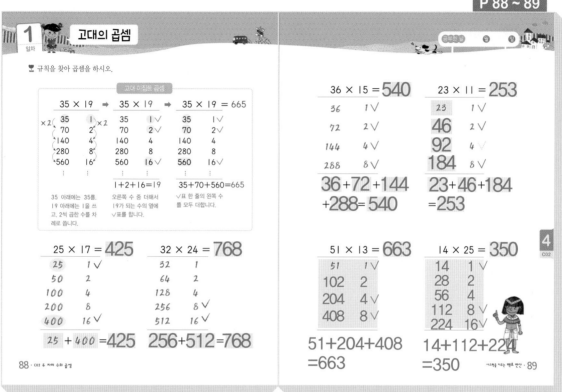

P 90 ~ 91

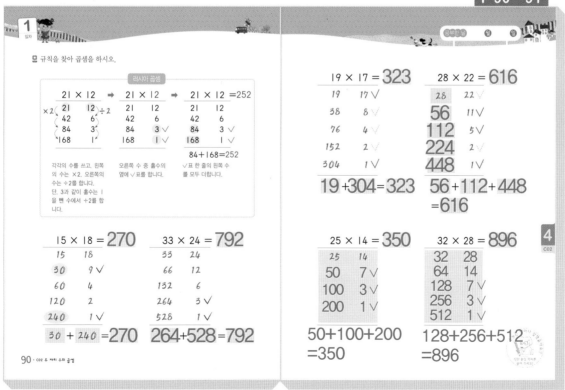

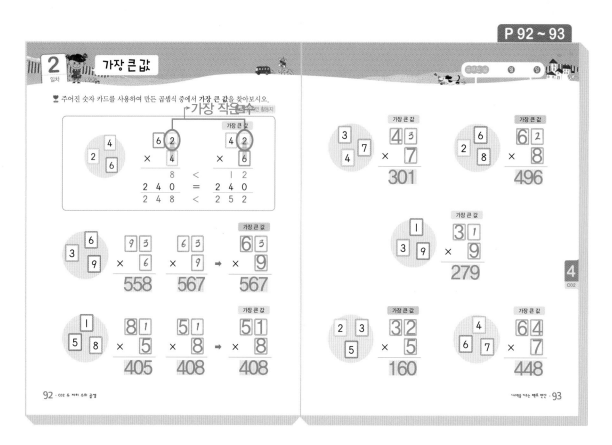

P 92 ~ 93

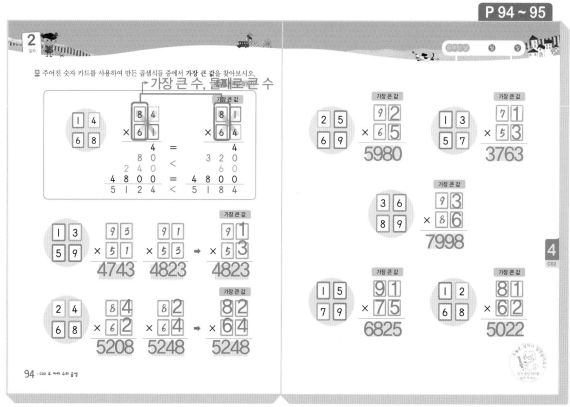

P 94 ~ 95

P 96 ~ 97

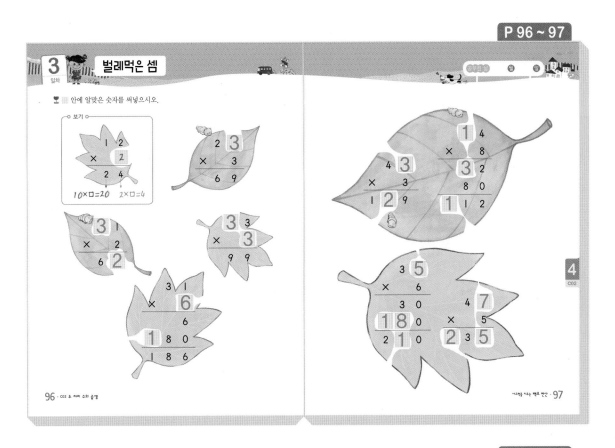

P 98 ~ 99

P 100 ~ 101

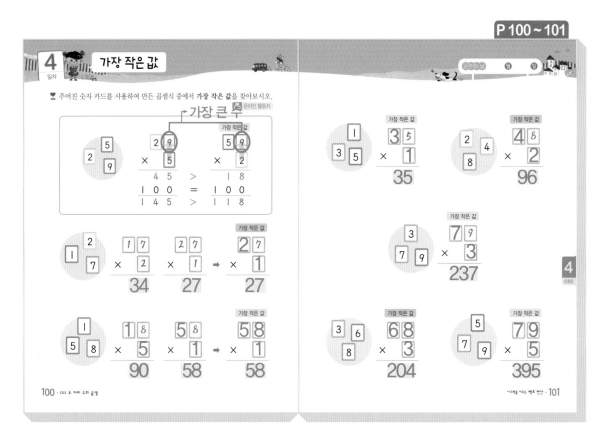

P 102 ~ 103

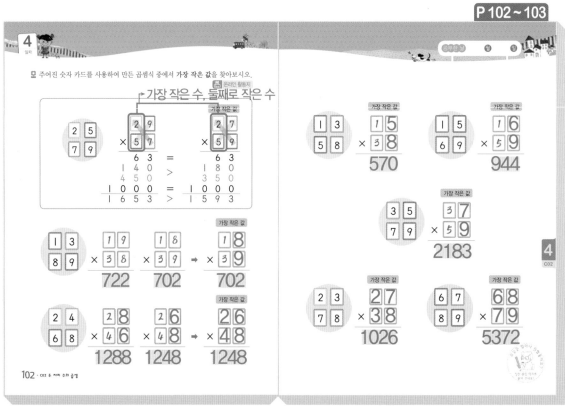

P 104~105

복면산

안에 알맞은 숫자를 써넣으시오. (단, 같은 모양은 같은 숫자를 나타냅니다.)

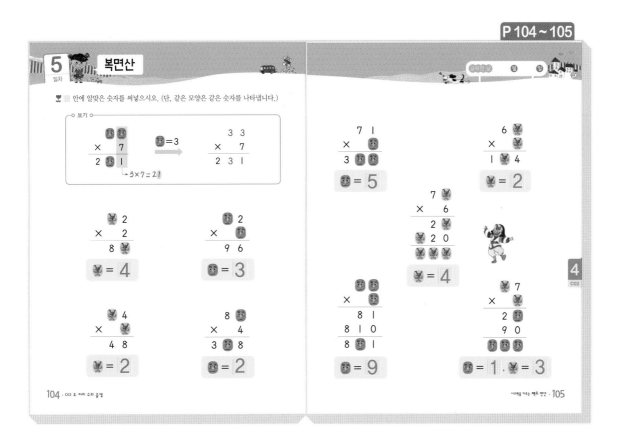

104 · C02 두 자리 수의 곱셈

사고력을 키우는 팩토 연산 · 105

P 106~107

안에 알맞은 숫자를 써넣으시오. (단, 같은 모양은 같은 숫자를 나타냅니다.)

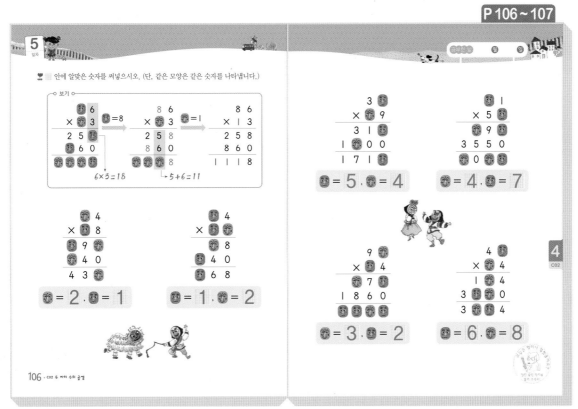

106 · C02 두 자리 수의 곱셈

memo